Goldmann Klassiker

Johann Wolfgang von Goethe
in der Taschenbuchreihe
Goldmann Klassiker:

Faust. Eine Tragödie (7517)
Faust. Der Tragödie erster Teil (7592)
Die Leiden des jungen Werthers. Roman (7540)
Wilhelm Meisters Lehrjahre. Roman (7578)

JOHANN WOLFGANG VON GOETHE

Die Leiden des jungen Werthers

Roman

Vollständige Ausgabe der ersten Fassung (1774)
Nachdruck aus dem neunten Band der im Aufbau-Verlag, Berlin und Weimar, erschienenen „Berliner Ausgabe" von Goethes Werken
Die Textrevision besorgten Margot Böttcher, Werner Liersch und Annemarie Noelle

Nachwort, Zeittafel, Erläuterungen und bibliographische Hinweise: Professor Dr. Hans-Wolf Jäger, Universität Bremen

1. Auflage September 1979 · 1.–12. Tsd.
2. Auflage Oktober 1980 · 13.–22. Tsd.

Made in Germany

Umschlagentwurf: Atelier Adolf & Angelika Bachmann, München, unter Verwendung eines Stiches von Daniel Chodowiecki zu den „Leiden des jungen Werthers"
Umschlagfoto: Bildarchiv Preußischer Kulturbesitz, Berlin
Druck: Presse-Druck Augsburg
Verlagsnummer: 7540
Lektorat: Martin Vosseler · Herstellung: Peter Papenbrok/He
ISBN 3-442-07540-8

INHALT

ERSTER TEIL

Was ich von der Geschichte des armen Werthers nur habe auffinden können, habe ich mit Fleiß gesammlet und leg es euch hier vor und weiß, daß ihr mir's danken werdet. Ihr könnt seinem Geist und seinem Charakter eure Bewunderung und Liebe und seinem Schicksale eure Tränen nicht versagen.

Und du gute Seele, die du ebenden Drang fühlst wie er, schöpfe Trost aus seinem Leiden und laß das Büchlein deinen Freund sein, wenn du aus Geschick oder eigner Schuld keinen nähern finden kannst.

Am 4. Mai 1771

Wie froh bin ich, daß ich weg bin! Bester Freund, was ist das Herz des Menschen! Dich zu verlassen, den ich so liebe, von dem ich unzertrennlich war, und froh zu sein! Ich weiß, du verzeihst mir's. Waren nicht meine übrigen Verbindungen recht ausgesucht vom Schicksal, um ein Herz wie das meine zu ängstigen? Die arme Leonore! Und doch war ich unschuldig! Konnt ich dafür, daß, während die eigensinnigen Reize ihrer Schwester mir einen angenehmen Unterhalt verschafften, daß eine Leidenschaft in dem armen Herzen sich bildete! Und doch – bin ich ganz unschuldig? Hab ich nicht ihre Empfindungen genährt? Hab ich mich nicht an denen ganz wahren Ausdrücken der Natur, die uns so oft zu lachen machten, so wenig lächerlich sie waren, selbst ergötzt! Hab ich nicht – O was ist der Mensch, daß er über sich klagen darf! – Ich will, lieber Freund, ich verspreche dir's, ich will mich bessern, will nicht mehr das bißchen Übel, das das Schicksal uns vorlegt, wiederkäuen, wie ich's immer getan habe. Ich will das Gegenwärtige genießen, und das Vergangene soll mir vergangen sein. Gewiß, du hast recht, Bester: der Schmerzen wären minder unter den Menschen, wenn sie nicht – Gott weiß, warum sie so gemacht sind – mit so viel Emsigkeit der Einbildungskraft sich beschäftigten, die Erinnerungen des vergangenen Übels zurückzurufen, ehe denn eine gleichgültige Gegenwart zu tragen.

Du bist so gut, meiner Mutter zu sagen, daß ich ihr Geschäfte bestens betreiben und ihr ehstens Nachricht davon geben werde. Ich habe meine Tante gesprochen und habe bei weiten das böse Weib nicht gefunden, das man bei uns aus ihr macht, sie ist eine muntere, heftige Frau von dem besten Herzen. Ich erklärte ihr meiner Mutter Beschwerden über den zurückgehaltenen Erbschaftsanteil. Sie sagte mir ihre Gründe, Ursachen und die Bedingungen, unter welchen sie bereit wäre, alles herauszugeben, und mehr als wir verlangten – Kurz, ich mag jetzo nichts davon schreiben, sag meiner Mutter, es werde alles gut gehen. Und ich habe, mein Lieber! wieder bei diesem kleinen Geschäfte gefunden: daß Mißverständnisse und Trägheit vielleicht mehr Irrungen in der Welt machen, als List und Bosheit nicht tun. Wenigstens sind die beiden letztern gewiß seltner.

Übrigens find ich mich hier gar wohl. Die Einsamkeit ist meinem Herzen köstlicher Balsam in dieser paradiesischen Gegend, und diese Jahrszeit der Jugend wärmt mit aller Fülle mein oft schauderndes Herz. Jeder Baum, jede Hecke ist ein Strauß von Blüten, und man möchte zur Maienkäfer werden, um in dem Meer von Wohlgerüchen herumschweben und alle seine Nahrung darinne finden zu können.

Die Stadt ist selbst unangenehm, dagegen ringsumher eine unaussprechliche Schönheit der Natur. Das bewog den verstorbenen Grafen von M..., einen Garten auf einem der Hügel anzulegen, die mit der schönsten Mannigfaltigkeit der Natur sich kreuzen und die lieblichsten Täler bilden. Der Garten ist einfach, und man fühlt gleich bei dem Eintritte, daß nicht ein wissenschaftlicher Gärtner, sondern ein fühlendes Herz den Plan bezeichnet, das sein selbst hier genießen wollte. Schon manche Träne hab ich dem Abgeschiedenen in dem verfallnen Kabinettchen geweint, das sein Lieblingsplätzchen war und auch meins ist. Bald werd ich Herr vom Garten sein, der Gärtner ist mir zugetan, nur seit den paar Tagen, und er wird sich nicht übel davon befinden.

Am 10. Mai

Eine wunderbare Heiterkeit hat meine ganze Seele eingenommen, gleich denen süßen Frühlingsmorgen, die ich mit ganzem Herzen genieße. Ich bin so allein und freue mich so meines Lebens in dieser Gegend, die für solche Seelen geschaffen ist wie die meine. Ich bin so glücklich, mein Bester, so ganz in dem Gefühl von ruhigem Dasein versunken, daß meine Kunst darunter leidet. Ich könnte jetzo nicht zeichnen, nicht einen Strich, und bin niemalen ein größerer Maler gewesen als in diesen Augenblicken. Wenn das liebe Tal um mich dampft und die hohe Sonne an der Oberfläche der undurchdringlichen Finsternis meines Waldes ruht und nur einzelne Strahlen sich in das innere Heiligtum stehlen und ich dann im hohen Grase am fallenden Bache liege und näher an der Erde tausend mannigfaltige Gräschen mir merkwürdig werden. Wenn ich das Wimmeln der kleinen Welt zwischen Halmen, die unzähligen, unergründlichen Gestalten all der Würmchen, der Mückchen näher an meinem Herzen fühle und fühle die Gegenwart des Allmächtigen, der uns all nach seinem Bilde schuf, das Wehen des Alliebenden, der uns in ewiger Wonne schwebend trägt und erhält. Mein Freund, wenn's denn um meine Augen dämmert und die Welt um mich her und Himmel ganz in meiner Seele ruht wie die Gestalt einer Geliebten; dann sehn ich mich oft und denke: ach könntest du das wieder ausdrücken, könntest du dem Papier das einhauchen, was so voll, so warm in dir lebt, daß es würde der Spiegel deiner Seele, wie deine Seele ist der Spiegel des unendlichen Gottes. Mein Freund – Aber ich gehe darüber zugrunde, ich erliege unter der Gewalt der Herrlichkeit dieser Erscheinungen.

Am 12. Mai

Ich weiß nicht, ob so täuschende Geister um diese Gegend schweben oder ob die warme, himmlische Phantasie in meinem Herzen ist, die mir alles ringsumher so paradiesisch macht. Da ist gleich vor dem Orte ein Brunn', ein Brunn', an den ich gebannt bin wie Melusine mit ihren Schwestern. Du gehst einen kleinen Hügel hinunter und findest dich vor einem Gewölbe, da wohl zwanzig Stufen hinabgehen, wo unten das klarste Wasser aus Marmorfelsen quillt. Das Mäuerchen, das oben umher die Einfassung macht, die hohen Bäume, die den Platz ringsumher bedecken, die Kühle des Orts, das hat alles so was Anzügliches, was Schauerliches. Es vergeht kein Tag, daß ich nicht eine Stunde da sitze. Da kommen denn die Mädchen aus der Stadt und holen Wasser, das harmloseste Geschäft und das nötigste, das ehmals die Töchter der Könige selbst verrichteten. Wenn ich da sitze, so lebt die patriarchalische Idee so lebhaft um mich, wie sie alle, die Altväter, am Brunnen Bekanntschaft machen und freien und wie um die Brunnen und Quellen wohltätige Geister schweben. O der muß nie nach einer schweren Sommertagswanderung sich an des Brunnens Kühle gelabt haben, der das nicht mitempfinden kann.

Am 13. Mai

Du fragst, ob du mir meine Bücher schicken sollst? Lieber, ich bitte dich um Gottes willen, laß mir sie vom Hals. Ich will nicht mehr geleitet, ermuntert, angefeuret sein, braust dieses Herz doch genug aus sich selbst, ich brauche Wiegengesang, und den hab ich in seiner Fülle gefunden in meinem Homer. Wie oft lull ich mein empörendes Blut zur Ruhe, denn so ungleich, so unstet hast du nichts gesehn als dieses Herz. Lieber! Brauch ich dir das zu sagen, der du so oft die Last getragen hast, mich vom Kummer zur Ausschweifung und von süßer Melancholie zur verderblichen Leidenschaft übergehn zu sehn. Auch halt ich mein Herzchen wie ein krankes Kind, all sein Wille wird ihm gestattet. Sag das nicht weiter, es gibt Leute, die mir's verübeln würden.

Am 15. Mai

Die geringen Leute des Orts kennen mich schon und lieben mich, besonders die Kinder. Eine traurige Bemerkung hab ich gemacht. Wie ich im Anfange mich zu ihnen gesellte, sie freundschaftlich fragte über dies und das, glaubten einige, ich wollte ihrer spotten, und fertigten mich wohl gar grob ab. Ich ließ mich das nicht verdrießen, nur fühlt ich, was ich schon oft bemerkt habe, auf das lebhafteste. Leute von einigem Stande werden sich immer in kalter Entfernung vom gemeinen Volke halten, als glaubten sie, durch Annäherung zu verlieren, und dann gibt's Flüchtlinge und üble Spaßvögel, die sich herabzulassen scheinen, um ihren Übermut dem armen Volke desto empfindlicher zu machen.

Ich weiß wohl, daß wir nicht gleich sind, noch sein können. Aber ich halte dafür, daß der, der glaubt nötig zu haben, vom sogenannten Pöbel sich zu entfernen, um den Respekt zu erhalten, ebenso tadelhaft ist als ein Feiger, der sich für seinem Feinde verbirgt, weil er zu unterliegen fürchtet.

Letzthin kam ich zum Brunnen und fand ein junges Dienstmädchen, das ihr Gefäß auf die unterste Treppe gesetzt hatte und sich umsah, ob keine Kamerädin kommen wollte, ihr's auf den Kopf zu helfen. Ich stieg hinunter und sah sie an. „Soll ich Ihr helfen, Jungfer?" sagt ich. Sie ward rot über und über. „O nein, Herr!" sagte sie. „Ohne Umstände!" Sie legte ihren Kringen zurechte, und ich half ihr. Sie dankte und stieg hinauf.

Den 17. Mai

Ich hab allerlei Bekanntschaft gemacht, Gesellschaft hab ich noch keine gefunden. Ich weiß nicht, was ich Anzügliches für die Menschen haben muß, es mögen mich ihrer so viele und hängen sich an mich, und da tut mir's immer weh, wenn unser Weg nur so eine kleine Strecke miteinander geht. Wenn du fragst, wie die Leute hier sind, muß ich dir sagen: wie überall! Es ist ein einförmig Ding ums Menschengeschlecht. Die meisten verarbeiten den größten Teil der

Zeit, um zu leben, und das bißchen, das ihnen von Freiheit übrigbleibt, ängstigt sie so, daß sie alle Mittel aufsuchen, um's loszuwerden. O Bestimmung des Menschen!

Aber eine rechte gute Art Volks! Wann ich mich manchmal vergesse, manchmal mit ihnen die Freuden genieße, die so den Menschen noch gewährt sind, an einem artig besetzten Tisch mit aller Offen- und Treuherzigkeit sich herumzuspaßen, eine Spazierfahrt, einen Tanz zur rechten Zeit anzuordnen und dergleichen, das tut eine ganz gute Würkung auf mich, nur muß mir nicht einfallen, daß noch so viele andere Kräfte in mir ruhen, die alle ungenutzt vermodern und die ich sorgfältig verbergen muß. Ach, das engt all das Herz so ein – Und doch! Mißverstanden zu werden ist das Schicksal von unsereinem.

Ach, daß die Freundin meiner Jugend dahin ist, ach, daß ich sie je gekannt habe! Ich würde zu mir sagen: du bist ein Tor! du suchst, was hienieden nicht zu finden ist. Aber ich hab sie gehabt, ich habe das Herz gefühlt, die große Seele, in deren Gegenwart ich mir schien mehr zu sein, als ich war, weil ich alles war, was ich sein konnte. Guter Gott, blieb da eine einzige Kraft meiner Seele ungenutzt, konnt ich nicht vor ihr all das wunderbare Gefühl entwickeln, mit dem mein Herz die Natur umfaßt, war unser Umgang nicht ein ewiges Weben von feinster Empfindung, schärfstem Witze, dessen Modifikationen bis zur Unart alle mit dem Stempel des Genies bezeichnet waren? Und nun – Ach ihre Jahre, die sie voraus hatte, führten sie früher ans Grab als mich. Nie werd ich ihrer vergessen, nie ihren festen Sinn und ihre göttliche Duldung.

Vor wenig Tagen traf ich einen jungen V ... an, ein offner Junge mit einer gar glücklichen Gesichtsbildung. Er kommt erst von Akademien, dünkt sich nicht eben weise, aber glaubt doch, er wüßte mehr als andere. Auch war er fleißig, wie ich an allerlei spüre, kurz, er hat hübsche Kenntnisse. Da er hörte, daß ich viel zeichnete und Griechisch konnte, zwei Meteore hierzuland, wandt er sich an mich und kramte viel Wissens aus, von Batteux bis zu Wood, von de Piles zu Winckelmann, und versicherte mich, er habe Sulzers Theorie, den ersten Teil, ganz durchgelesen und besitze ein Manuskript von Heynen über das Studium der Antike. Ich ließ das gut sein.

Noch gar einen braven Kerl hab ich kennenlernen, den fürstlichen Amtmann. Einen offenen, treuherzigen Menschen. Man sagt, es soll eine Seelenfreude sein, ihn unter seinen Kindern zu sehen, deren er neune hat. Besonders macht man viel Wesens von seiner ältsten Tochter. Er hat mich zu sich gebeten, und ich will ihn ehster Tage besuchen, er wohnt auf einem fürstlichen Jagdhofe, anderthalb Stunden von hier, wohin er nach dem Tode seiner Frau zu ziehen die Erlaubnis erhielt, da ihm der Aufenthalt hier in der Stadt und dem Amthause zu weh tat.

Sonst sind einige verzerrte Originale mir in Weg gelaufen, an denen alles unausstehlich ist, am unerträglichsten ihre Freundschaftsbezeugungen.

Leb wohl! der Brief wird dir recht sein, er ist ganz historisch.

Am 22. Mai

Daß das Leben des Menschen nur ein Traum sei, ist manchem schon so vorgekommen, und auch mit mir zieht dieses Gefühl immer herum. Wenn ich die Einschränkung so ansehe, in welche die tätigen und forschenden Kräfte des Menschen eingesperrt sind, wenn ich sehe, wie alle Würksamkeit dahinaus läuft, sich die Befriedigung von Bedürfnissen zu verschaffen, die wieder keinen Zweck haben, als unsere arme Existenz zu verlängern, und dann, daß alle Beruhigung über gewisse Punkte des Nachforschens nur eine träumende Resignation ist, da man sich die Wände, zwischen denen man gefangen sitzt, mit bunten Gestalten und lichten Aussichten bemalt. Das alles, Wilhelm, macht mich stumm. Ich kehre in mich selbst zurück und finde eine Welt! Wieder mehr in Ahndung und dunkler Begier als in Darstellung und lebendiger Kraft. Und da schwimmt alles vor meinen Sinnen, und ich lächle dann so träumend weiter in die Welt.

Daß die Kinder nicht wissen, warum sie wollen, darin sind alle hochgelahrte Schul- und Hofmeister einig. Daß aber auch Erwachsene gleich Kindern auf diesem Erdboden herumtaumeln, gleichwie jene nicht wissen, woher sie kommen und wohin sie gehen, ebensowenig nach wahren Zwecken handeln, ebenso durch Biskuit und Kuchen und Birkenreiser regiert werden, das will niemand gern glauben, und mich dünkt, man kann's mit Händen greifen.

Ich gestehe dir gern, denn ich weiß, was du mir hierauf sagen möchtest, daß diejenige die glücklichsten sind, die gleich den Kindern in Tag hineinleben, ihre Puppe herumschleppen, aus- und anziehen und mit großem Respekte um die Schublade herumschleichen, wo Mama das Zuckerbrot hineinverschlossen hat, und wenn sie das gewünschte endlich erhaschen, es mit vollen Backen verzehren und rufen: „Mehr!" Das sind glückliche Geschöpfe! Auch denen ist's wohl, die ihren Lumpenbeschäftigungen oder wohl gar ihren Leidenschaften prächtige Titel geben und sie dem Menschengeschlechte als Riesenoperationen zu dessen Heil und Wohlfahrt anschreiben. Wohl dem, der so sein kann! Wer aber in seiner Demut erkennt, wo das alles hinausläuft, der so sieht, wie artig jeder Bürger, dem's wohl ist, sein Gärtchen zum Paradiese zuzustutzen weiß und wie unverdrossen dann doch auch der Unglückliche unter der Bürde seinen Weg fortkeicht und alle gleich interessiert sind, das Licht dieser Sonne noch eine Minute länger zu sehn, ja! der ist still und bildet auch seine Welt aus sich selbst und ist auch glücklich, weil er ein Mensch ist. Und dann, so eingeschränkt er ist, hält er doch immer im Herzen das süße Gefühl von Freiheit und daß er diesen Kerker verlassen kann, wann er will.

Am 26. Mai

Du kennst von alters her meine Art, mich anzubauen, irgend mir an einem vertraulichen Orte ein Hüttchen aufzuschlagen und da mit aller Einschränkung zu herbergen. Ich hab auch hier wieder ein Plätzchen angetroffen, das mich angezogen hat.

Ohngefähr eine Stunde von der Stadt liegt ein Ort, den sie Wahlheim* nennen. Die Lage an einem Hügel ist sehr interessant, und wenn man oben auf dem Fußpfade zum Dorfe herausgeht, übersieht man mit *einem* das ganze Tal. Eine gute Wirtin, die gefällig und munter in ihrem Alter ist, schenkt Wein, Bier, Kaffee, und was über alles geht, sind zwei Linden, die mit ihren ausgebreiteten Ästen den kleinen Platz vor der Kirche bedecken, der ringsum mit Bauerhäusern, Scheuern und Höfen eingeschlossen ist. So vertraulich, so heimlich hab ich nicht leicht ein Plätzchen gefunden, und dahin laß ich mein Tischchen aus dem Wirtshause bringen und meinen Stuhl und trinke meinen Kaffee da und lese meinen Homer. Das erstemal, als ich durch einen Zufall an einem schönen Nachmittage unter die Linden kam, fand ich das Plätzchen so einsam. Es war alles im Felde. Nur ein Knabe von ohngefähr vier Jahren saß an der Erde und hielt ein andres, etwa halbjähriges, vor ihm zwischen seinen Füßen sitzendes Kind mit beiden Armen wider seine Brust, so daß er ihm zu einer Art von Sessel diente und ohngeachtet der Munterkeit, womit er aus seinen schwarzen Augen herumschaute, ganz ruhig saß. Mich vergnügte der Anblick, und ich setzte mich auf einen Pflug, der gegenüber stund, und zeichnete die brüderliche Stellung mit vielem Ergötzen, ich fügte den nächsten Zaun, ein Tennentor und einige gebrochne Wagenräder bei, wie es all hintereinander stund, und fand nach Verlauf einer Stunde, daß ich eine wohlgeordnete, sehr interessante Zeichnung verfertigt hatte, ohne das mindeste von dem Meinen hinzuzutun. Das bestärkte mich in meinem Vorsatze, mich künftig allein an die Natur zu halten. Sie allein ist unendlich reich, und sie allein bildet den großen Künstler. Man kann zum Vorteile der Regeln viel sagen, ohngefähr was man zum Lobe der bürgerlichen Gesellschaft

* Der Leser wird sich keine Mühe geben, die hier genannten Orte zu suchen; man hat sich genötigt gesehen, die im Originale befindlichen wahren Namen zu verändern.

sagen kann. Ein Mensch, der sich nach ihnen bildet, wird nie etwas Abgeschmacktes und Schlechtes hervorbringen, wie einer, der sich durch Gesetze und Wohlstand modeln läßt, nie ein unerträglicher Nachbar, nie ein merkwürdiger Bösewicht werden kann; dagegen wird aber auch alle Regel, man rede, was man wolle, das wahre Gefühl von Natur und den wahren Ausdruck derselben zerstören! Sagst du, das ist zu hart! Sie schränkt nur ein, beschneidet die geilen Reben etc. Guter Freund, soll ich dir ein Gleichnis geben: es ist damit wie mit der Liebe, ein junges Herz hängt ganz an einem Mädchen, bringt alle Stunden seines Tags bei ihr zu, verschwendet all seine Kräfte, all sein Vermögen, um ihr jeden Augenblick auszudrücken, daß er sich ganz ihr hingibt. Und da käme ein Philister, ein Mann, der in einem öffentlichen Amte steht, und sagte zu ihm: „Feiner junger Herr, Lieben ist menschlich, nur müßt Ihr menschlich lieben! Teilet Eure Stunden ein, die einen zur Arbeit, und die Erholungsstunden widmet Eurem Mädchen, berechnet Euer Vermögen, und was Euch von Eurer Notdurft übrigbleibt, davon verwehr ich Euch nicht, ihr ein Geschenk, nur nicht zu oft, zu machen. Etwa zu ihrem Geburts- und Namenstage etc." – Folgt der Mensch, so gibt's einen brauchbaren jungen Menschen, und ich will selbst jedem Fürsten raten, ihn in ein Kollegium zu setzen, nur mit seiner Liebe ist's am Ende, und wenn er ein Künstler ist, mit seiner Kunst. O meine Freunde! warum der Strom des Genies so selten ausbricht, so selten in hohen Fluten hereinbraust und eure staunende Seele erschüttert. Lieben Freunde, da wohnen die gelaßnen Kerls auf beiden Seiten des Ufers, denen ihre Gartenhäuschen, Tulpenbeete und Krautfelder zugrunde gehen würden und die daher in Zeiten mit Dämmen und Ableiten der künftig drohenden Gefahr abzuwehren wissen.

Am 27. Mai

Ich bin, wie ich sehe, in Verzückung, Gleichnisse und Deklamation verfallen und habe drüber vergessen, dir auszuerzählen, was mit den Kindern weiter worden ist. Ich saß ganz in malerische Empfindungen vertieft, die dir mein gestriges Blatt sehr zerstückt darlegt, auf meinem Pfluge wohl zwei Stunden. Da kommt gegen Abend eine junge Frau auf die Kinder los, die sich die Zeit nicht gerührt hatten, mit einem Körbchen am Arme, und ruft von weitem: „Philips, du bist recht brav." Sie grüßte mich, ich dankte ihr, stand auf, trat näher hin und fragte sie, ob sie Mutter zu den Kindern wäre. Sie bejahte es, und indem sie dem Ältesten einen halben Weck gab, nahm sie das Kleine auf und küßte es mit aller mütterlichen Liebe. „Ich habe", sagte sie, „meinem Philips das Kleine zu halten gegeben und bin in die Stadt gegangen mit meinem Ältsten, um weiß Brot zu holen und Zucker und ein irden Breipfännchen." Ich sah das alles in dem Korbe, dessen Deckel abgefallen war. „Ich will meinem Hans" (das war der Name des Jüngsten) „ein Süppchen kochen zum Abende; der lose Vogel, der Große, hat mir gestern das Pfännchen zerbrochen, als er sich mit Philipsen um die Scharre des Breis zankte." Ich fragte nach dem Ältsten, und sie hatte mir kaum gesagt, daß er auf der Wiese sich mit ein paar Gänsen herumjagte, als er hergesprungen kam und dem Zweiten eine Haselgerte mitbrachte. Ich unterhielt mich weiter mit dem Weibe und erfuhr, daß sie des Schulmeisters Tochter sei und daß ihr Mann eine Reise in die Schweiz gemacht habe, um die Erbschaft eines Vettern zu holen. „Sie haben ihn drum betrügen wollen", sagte sie, „und ihm auf seine Briefe nicht geantwortet, da ist er selbst hineingegangen. Wenn ihm nur kein Unglück passiert ist, ich höre nichts von ihm." Es ward mir schwer, mich von dem Weibe loszumachen, gab jedem der Kinder einen Kreuzer, und auch fürs jüngste gab ich ihr einen, ihm einen Weck mitzubringen zur Suppe, wenn sie in die Stadt ging, und so schieden wir voneinander.

Ich sage dir, mein Schatz, wenn meine Sinnen gar nicht mehr halten wollen, so lindert's all den Tumult, der Anblick eines solchen Geschöpfs, das in der glücklichen Gelassenheit so den engen Kreis seines Daseins ausgeht, von einem Tag zum andern sich durchhilft, die Blätter abfallen sieht und nichts dabei denkt, als daß der Winter kömmt.

Seit der Zeit bin ich oft drauß, die Kinder sind ganz an mich gewöhnt. Sie kriegen Zucker, wenn ich Kaffee trinke, und teilen das Butterbrot und die saure Milch mit mir des Abends. Sonntags fehlt ihnen der Kreuzer nie, und wenn ich nicht nach der Betstunde da bin, so hat die Wirtin Ordre, ihn auszubezahlen.

Sie sind vertraut, erzählen mir allerhand, und besonders ergötz ich mich an ihren Leidenschaften und simplen Ausbrüchen des Begehrens, wenn mehr Kinder aus dem Dorfe sich versammeln.

Viel Mühe hat mich's gekostet, der Mutter ihre Besorgnis zu benehmen: „Sie möchten den Herrn inkommodieren."

Am 16. Juni

Warum ich dir nicht schreibe? Fragst du das und bist doch auch der Gelehrten einer. Du solltest raten, daß ich mich wohl befinde, und zwar – Kurz und gut, ich habe eine Bekanntschaft gemacht, die mein Herz näher angeht. Ich habe – ich weiß nicht.

Dir in der Ordnung zu erzählen, wie's zugegangen ist, daß ich eins der liebenswürdigsten Geschöpfe habe kennenlernen, wird schwer halten; ich bin vergnügt und glücklich und so kein guter Historienschreiber.

Einen Engel! Pfui! das sagt jeder von der Seinigen! Nicht wahr? Und doch bin ich nicht imstande, dir zu sagen, wie sie vollkommen ist, warum sie vollkommen ist, genug, sie hat all meinen Sinn gefangengenommen.

So viel Einfalt bei so viel Verstand, so viel Güte bei so viel Festigkeit, und die Ruhe der Seele bei dem wahren Leben und der Tätigkeit. –

Das ist alles garstiges Gewäsche, was ich da von ihr sage, leidige Abstraktionen, die nicht einen Zug ihres Selbst ausdrücken. Ein andermal – Nein, nicht ein andermal, jetzt gleich will ich dir's erzählen. Tu ich's jetzt nicht, geschäh's niemals. Denn, unter uns, seit ich angefangen habe zu schreiben, war ich schon dreimal im Begriffe, die Feder niederzulegen, mein Pferd satteln zu lassen und hinauszureiten, und doch schwur ich mir heut früh, nicht hinauszureiten – und gehe doch alle Augenblicke ans Fenster, zu sehen, wie hoch die Sonne noch steht.

Ich hab's nicht überwinden können, ich mußte zu ihr hinaus. Da bin ich wieder, Wilhelm, und will mein Butterbrot zu Nacht essen und dir schreiben. Welch eine Wonne das für meine Seele ist, sie in dem Kreise der lieben, muntern Kinder, ihrer acht Geschwister, zu sehen! –

Wenn ich so fortfahre, wirst du am Ende so klug sein wie am Anfange; höre denn, ich will mich zwingen, ins Detail zu gehen.

Ich schrieb dir neulich, wie ich den Amtmann S... habe kennenlernen und wie er mich gebeten habe, ihn bald in seiner Einsiedelei oder vielmehr seinem kleinen Königreiche zu besuchen. Ich vernachlässigte das und wäre vielleicht nie hingekommen, hätte mir der Zufall nicht den Schatz entdeckt, der in der stillen Gegend verborgen liegt.

Unsere jungen Leute hatten einen Ball auf dem Lande angestellt, zu dem ich mich denn auch willig finden ließ. Ich bot einem hiesigen guten, schönen, weiters unbedeutenden Mädchen die Hand, und es wurde ausgemacht, daß ich eine Kutsche nehmen, mit meiner Tänzerin und ihrer Base nach dem Orte der Lustbarkeit hinausfahren und auf dem Wege Charlotten S... mitnehmen sollte. „Sie werden ein schönes Frauenzimmer kennenlernen", sagte meine Gesellschafterin, da wir durch den weiten, schön ausgehauenen Wald nach dem Jagdhause fuhren. „Nehmen Sie sich in acht", versetzte die Base, „daß Sie sich nicht verlieben!" – „Wieso?" sagt ich. „Sie ist schon vergeben", antwortete jene, „an einen sehr braven Mann, der weggereist ist, seine Sachen in Ordnung zu bringen nach seines Vaters Tod und sich um eine ansehnliche Versorgung zu bewerben." Die Nachricht war mir ziemlich gleichgültig.

Die Sonne war noch eine Viertelstunde vom Gebürge, als wir vor dem Hoftore anfuhren; es war sehr schwüle, und die Frauenzimmer äußerten ihre Besorgnis wegen eines Gewitters, das sich in weißgrauen, dumpfigen Wölkchen rings am Horizonte zusammenzuziehen schien. Ich täuschte ihre Furcht mit anmaßlicher Wetterkunde, ob mir gleich selbst zu ahnden anfing, unsere Lustbarkeit werde einen Stoß leiden.

Ich war ausgestiegen. Und eine Magd, die ans Tor kam, bat uns, einen Augenblick zu verziehen, Mamsell Lottchen würde gleich kommen. Ich ging durch den Hof nach dem wohlgebauten Hause, und da ich die vorliegenden Treppen hinaufgestiegen war und in die Türe trat, fiel mir das reizendste Schauspiel in die Augen, das ich jemals gesehen habe. In dem Vorsaale wimmelten sechs Kinder, von eilf zu zwei Jahren, um ein Mädchen von schöner mittlerer Taille, die ein simples weißes Kleid mit blaßroten Schleifen an Arm und Brust anhatte. Sie hielt ein schwarzes Brot und schnitt ihren Kleinen ringsherum jedem sein Stück nach Proportion ihres Alters und Appetites ab, gab's jedem mit solcher Freundlichkeit, und jedes rufte so ungekünstelt sein „Danke!", indem es mit den kleinen Händchen lang in die Höh gereicht hatte, eh es noch abgeschnitten war, und nun mit seinem Abendbrote vergnügt entweder wegsprang oder nach seinem stillern Charakter gelassen davon nach dem Hoftore zuging, um die Fremden und die Kutsche zu sehen, darinnen ihre Lotte wegfahren sollte. „Ich bitte um Vergebung", sagte sie, „daß ich Sie hereinbemühe und die Frauenzimmer warten lasse. Über dem Anziehen und allerlei Bestellungen fürs Haus in meiner Abwesenheit habe ich vergessen, meinen Kindern ihr Vesperstück zu geben, und sie wollen von niemanden Brot geschnitten haben als von mir." Ich machte ihr ein unbedeutendes Kompliment, und meine ganze Seele ruhte auf der Gestalt, dem Tone, dem Betragen, und hatte eben Zeit, mich von der Überraschung zu erholen, als sie in die Stube lief, ihre Handschuh und Fächer zu nehmen. Die Kleinen sahen mich in einiger Entfernung so von der Seite an, und ich ging auf das Jüngste los, das ein Kind von der glücklichsten Gesichtsbildung war. Es zog sich zurück, als eben Lotte zur Türe herauskam und sagte: „Louis, gib dem Herrn Vetter eine Hand." Das tat der Knabe sehr freimütig, und ich konnte mich nicht enthalten, ihn ohngeachtet seines kleinen Rotznäschens herzlich zu küssen. „Vetter?" sagt ich, indem ich ihr die Hand reichte, „glauben Sie, daß ich des Glücks wert sei, mit Ihnen verwandt zu sein?" – „Oh!" sagte sie mit einem leichtfertigen Lächeln, „unsere Vetterschaft ist sehr weitläuftig, und es wäre mir leid, wenn Sie der schlimmste drunter sein sollten." Im Gehen gab sie Sophien, der ältsten Schwester nach ihr, einem Mädchen von ohngefähr eilf Jahren, den Auftrag, wohl auf die Kleinen achtzuhaben und den Papa zu grüßen, wenn er vom Spazierritte zurückkäme. Den Kleinen sagte sie, sie sollten ihrer Schwester Sophie folgen, als wenn sie's selbst wäre, das denn auch einige ausdrücklich versprachen. Eine kleine nasweise Blondine aber, von ohngefähr sechs Jahren, sagte: „Du bist's doch nicht, Lottchen! wir haben dich doch lieber." Die zwei ältsten der Knaben waren hinten auf die Kutsche geklettert, und auf mein Vorbitten erlaubte sie ihnen, bis vor den Wald mitzufahren, wenn sie versprächen, sich nicht zu necken und sich recht festzuhalten.

Wir hatten uns kaum zurechtgesetzt, die Frauenzimmer sich bewillkommt, wechselsweis über den Anzug und vorzüglich die Hütchen ihre Anmerkungen gemacht und die Gesellschaft, die man zu finden erwartete, gehörig durchgezogen, als Lotte den Kutscher halten und ihre Brüder herabsteigen ließ, die noch einmal ihre Hand zu küssen begehrten, das denn der ältste mit aller Zärtlichkeit, die dem Alter von funfzehn Jahren eigen sein kann, der andere mit viel Heftigkeit und Leichtsinn tat. Sie ließ die Kleinen noch einmal grüßen, und wir fuhren weiter.

Die Base fragte, ob sie mit dem Buche fertig wäre, das sie

ihr neulich geschickt hätte. „Nein“, sagte Lotte, „es gefällt mir nicht, Sie können's wiederhaben. Das vorige war auch nicht besser.“ Ich erstaunte, als ich fragte, was es für Bücher wären, und sie mir antwortete: * – Ich fand so viel Charakter in allem, was sie sagte, ich sah mit jedem Wort neue Reize, neue Strahlen des Geistes aus ihren Gesichtszügen hervorbrechen, die sich nach und nach vergnügt zu entfalten schienen, weil sie an mir fühlte, daß ich sie verstund.

„Wie ich jünger war“, sagte sie, „liebte ich nichts so sehr als die Romanen. Weiß Gott, wie wohl mir's war, mich so sonntags in ein Eckchen zu setzen und mit ganzem Herzen an dem Glücke und Unstern einer Miß Jenny teilzunehmen. Ich leugne auch nicht, daß die Art noch einige Reize für mich hat. Doch da ich so selten an ein Buch komme, so müssen sie auch recht nach meinem Geschmacke sein. Und der Autor ist mir der liebste, in dem ich meine Welt wiederfinde, bei dem's zugeht wie um mich, und dessen Geschichte mir doch so interessant, so herzlich wird als mein eigen häuslich Leben, das freilich kein Paradies, aber doch im ganzen eine Quelle unsäglicher Glückseligkeit ist.“

Ich bemühte mich, meine Bewegungen über diese Worte zu verbergen. Das ging freilich nicht weit, denn da ich sie mit solcher Wahrheit im Vorbeigehn vom Landpriester von Wakefield, vom – ** reden hörte, kam ich eben außer mich und sagte ihr alles, was ich wußte, und bemerkte erst nach einiger Zeit, da Lotte das Gespräch an die andern wendete, daß diese die Zeit über mit offnen Augen, als säßen sie nicht da, dagesessen hatten. Die Base sah mich mehr als einmal mit einem spöttischen Näschen an, daran mir aber nichts gelegen war.

* Man sieht sich genötigt, diese Stelle des Briefs zu unterdrücken, um niemand Gelegenheit zu einiger Beschwerde zu geben. Obgleich im Grunde jedem Autor wenig an dem Urteile eines einzelnen Mädchens und eines jungen, unsteten Menschen gelegen sein kann.

** Man hat auch hier die Namen einiger vaterländischen Autoren ausgelassen. Wer teil an Lottens Beifall hatte, wird es gewiß an seinem Herzen fühlen, wenn er diese Stelle lesen sollte. Und sonst braucht's ja niemand zu wissen.

Das Gespräch fiel auf das Vergnügen am Tanze. „Wenn diese Leidenschaft ein Fehler ist", sagte Lotte, „so gesteh ich Ihnen gern, ich weiß nichts übers Tanzen. Und wenn ich was im Kopfe habe und mir auf meinem verstimmten Klaviere einen Contretanz vortrommle, so ist alles wieder gut."

Wie ich mich unter dem Gespräche in den schwarzen Augen weidete, wie die lebendigen Lippen und die frischen, muntern Wangen meine ganze Seele anzogen, wie ich, in den herrlichen Sinn ihrer Rede ganz versunken, oft gar die Worte nicht hörte, mit denen sie sich ausdruckte! Davon hast du eine Vorstellung, weil du mich kennst. Kurz, ich stieg aus dem Wagen wie ein Träumender, als wir vor dem Lusthause stillhielten, und war so in Träumen rings in der dämmernden Welt verloren, daß ich auf die Musik kaum achtete, die uns von dem erleuchteten Saale herunter entgegenschallte.

Die zwei Herren Audran und ein gewisser N. N., wer behält all die Namen! die der Base und Lottens Tänzer waren, empfingen uns am Schlage, bemächtigten sich ihrer Frauenzimmer, und ich führte die meinige hinauf.

Wir schlangen uns in Menuetts umeinander herum, ich forderte ein Frauenzimmer nach dem andern auf, und just die unleidlichsten konnten nicht dazu kommen, einem die Hand zu reichen und ein Ende zu machen. Lotte und ihr Tänzer fingen einen Englischen an, und wie wohl mir's war, als sie auch in der Reihe die Figur mit uns anfing, magst du fühlen. Tanzen muß man sie sehen. Siehst du, sie ist so mit ganzem Herzen und mit ganzer Seele dabei, ihr ganzer Körper eine Harmonie, so sorglos, so unbefangen, als wenn das eigentlich alles wäre, als wenn sie sonst nichts dächte, nichts empfände, und in dem Augenblicke gewiß schwindet alles andere vor ihr.

Ich bat sie um den zweiten Contretanz, sie sagte mir den dritten zu, und mit der liebenswürdigsten Freimütigkeit von der Welt versicherte sie mich, daß sie herzlich gern deutsch tanzte. „Es ist hier so Mode", fuhr sie fort, „daß jedes Paar, das zusammengehört, beim Deutschen zusammenbleibt, und mein Chapeau walzt schlecht und dankt mir's, wenn ich ihm die Arbeit erlasse; Ihr Frauenzimmer kann's auch nicht und mag nicht, und ich habe im Englischen gesehn, daß Sie gut walzen; wenn Sie nun mein sein wollen fürs Deutsche, so gehn Sie und bitten sich's aus von meinem Herrn, ich will zu Ihrer Dame gehn." Ich gab ihr die Hand drauf, und es wurde schon arrangiert, daß ihrem Tänzer inzwischen die Unterhaltung meiner Tänzerin aufgetragen ward.

Nun ging's, und wir ergötzten uns eine Weile an manchfaltigen Schlingungen der Arme. Mit welchem Reize, mit welcher Flüchtigkeit bewegte sie sich! Und da wir nun gar ans Walzen kamen und wie die Sphären umeinander herumrollten, ging's freilich anfangs, weil's die wenigsten können, ein bißchen bunt durcheinander. Wir waren klug und ließen sie austoben, und wie die Ungeschicktesten den Plan geräumt hatten, fielen wir ein und hielten mit noch einem Paare, mit Audran und seiner Tänzerin, wacker aus. Nie ist mir's so leicht vom Flecke gegangen. Ich war kein Mensch mehr. Das liebenswürdigste Geschöpf in den Armen zu haben und mit ihr herumzufliegen wie Wetter, daß alles ringsumher verging, und – Wilhelm, um ehrlich zu sein, tat ich aber doch den Schwur, daß ein Mädchen, das ich liebte, auf das ich Ansprüche hätte, mir nie mit einem andern walzen sollte als mit mir, und wenn ich drüber zugrunde gehen müßte, du verstehst mich.

Wir machten einige Touren gehend im Saale, um zu verschnaufen. Dann setzte sie sich, und die Zitronen, die ich weggestohlen hatte beim Punschmachen, die nun die einzigen noch übrigen waren und die ich ihr in Schnittchen mit Zucker zur Erfrischung brachte, taten fürtreffliche Würkung, nur daß mir mit jedem Schnittchen, das ihre Nachbarin aus der Tasse nahm, ein Stich durchs Herz ging, der ich's nun freilich schandenhalber mit präsentieren mußte.

Beim dritten Englischen waren wir das zweite Paar. Wie wir die Reihe so durchtanzten und ich, weiß Gott mit wieviel Wonne, an ihrem Arme und Auge hing, das voll vom wahrsten Ausdrucke des offensten, reinsten Vergnügens war, kommen wir an eine Frau, die mir wegen ihrer liebenswürdigen Miene auf einem nicht mehr ganz jungen Gesichte merkwürdig gewesen war. Sie sieht Lotten lächelnd an, hebt einen drohenden Finger auf und nennt den Namen Albert zweimal im Vorbeifliegen mit viel Bedeutung.

„Wer ist Albert?" sagte ich zu Lotten, „wenn's nicht Vermessenheit ist zu fragen." Sie war im Begriffe zu antworten, als wir uns scheiden mußten, die große Achte zu machen, und mich dünkte einiges Nachdenken auf ihrer Stirne zu sehen, als wir so voreinander vorbeikreuzten. „Was soll ich's Ihnen leugnen", sagte sie, indem sie mir die Hand zur Promenade bot. „Albert ist ein braver Mensch, dem ich so gut als verlobt bin!" Nun war mir das nichts Neues, denn die Mädchen hatten mir's auf dem Wege gesagt, und war mir doch so ganz neu, weil ich das noch nicht im Verhältnisse auf sie, die mir in so wenig Augenblicken so wert geworden war, gedacht hatte. Genug, ich verwirrte mich, vergaß mich und kam zwischen das unrechte Paar hinein, daß alles drunter und drüber ging und Lottens ganze Gegenwart und Zerren und Ziehen nötig war, um's schnell wieder in Ordnung zu bringen.

Der Tanz war noch nicht zu Ende, als die Blitze, die wir schon lange am Horizonte leuchten gesehn und die ich immer für Wetterkühlen ausgegeben hatte, viel stärker zu werden anfingen und der Donner die Musik überstimmte. Drei Frauenzimmer liefen aus der Reihe, denen ihre Herren folgten, die Unordnung ward allgemein, und die Musik hörte auf. Es ist natürlich, wenn uns ein Unglück oder etwas Schröckliches im Vergnügen überrascht, daß es stärkere Eindrücke auf uns macht als sonst, teils wegen dem Gegensatze, der sich so lebhaft empfinden läßt, teils und noch mehr, weil unsere Sinnen einmal der Fühlbarkeit geöffnet sind und also desto schneller einen Eindruck annehmen. Diesen Ursachen muß ich die wunderbaren Grimassen zuschreiben, in die ich mehrere Frauenzimmer ausbrechen sah. Die Klügste setzte sich in eine Ecke, mit dem Rücken gegen das Fenster, und hielt die Ohren zu, eine andere kniete sich vor ihr nieder und verbarg den Kopf in der ersten Schoß, eine dritte schob sich zwischen beide hinein und umfaßte ihre Schwesterchen mit tausend Tränen. Einige wollten nach Hause, andere, die noch weniger wußten, was sie taten, hatten nicht so viel Besinnungskraft, den Keckheiten unserer jungen Schluckers zu steuern, die sehr beschäftigt zu sein schienen, alle die ängstlichen Gebete, die dem Himmel bestimmt waren, von den Lippen der schönen Bedrängten wegzufangen. Einige unserer Herren hatten sich hinabbegeben, um ein Pfeifchen in Ruhe zu rauchen, und die übrige Gesellschaft schlug es nicht aus, als die Wirtin auf den klugen Einfall kam, uns ein Zimmer anzuweisen, das Läden und Vorhänge hätte. Kaum waren wir da angelangt, als Lotte beschäftigt war, einen Kreis von Stühlen zu stellen, die Gesellschaft zu setzen und den Vortrag zu einem Spiele zu tun.

Ich sahe manchen, der in Hoffnung auf ein saftiges Pfand sein Mäulchen spitzte und seine Glieder reckte. „Wir spielen Zählens", sagte sie, „nun gebt acht! Ich gehe im Kreise herum von der Rechten zur Linken, und so zählt ihr auch ringsherum jeder die Zahl, die an ihn kommt, und das muß gehn wie ein Lauffeuer, und wer stockt oder sich irrt, kriegt eine Ohrfeige, und so bis tausend." Nun war das lustig anzusehen. Sie ging mit ausgestrecktem Arme im Kreise herum: „Eins!" fing der erste an, der Nachbar „zwei!", „drei!" der folgende, und so fort; dann fing sie an, geschwinder zu gehn, immer geschwinder. Da versah's einer, patsch! eine Ohrfeige, und über das Gelächter der folgende auch: patsch! Und immer geschwinder. Ich selbst kriegte zwei Maulschellen und glaubte mit innigem Vergnügen zu bemerken, daß sie stärker seien, als sie sie den übrigen zuzumessen pflegte. Ein allgemeines Gelächter und Geschwärme machte dem Spiele ein Ende, ehe noch das Tausend ausgezählt war. Die Vertrautesten zogen einander beiseite, das Gewitter war vorüber, und ich folgte Lotten in den Saal. Unterwegs sagte sie:

„Über die Ohrfeigen haben sie Wetter und alles vergessen!" Ich konnte ihr nichts antworten. „Ich war", fuhr sie fort, „eine der Furchtsamsten, und indem ich mich herzhaft stellte, um den andern Mut zu geben, bin ich mutig geworden." Wir traten ans Fenster, es donnerte abseitwärts, und der herrliche Regen säuselte auf das Land, und der erquickendste Wohlgeruch stieg in aller Fülle einer warmen Luft zu uns auf. Sie stand auf ihrem Ellenbogen gestützt, und ihr Blick durchdrang die Gegend, sie sah gen Himmel und auf mich, ich sah ihr Auge tränenvoll, sie legte ihre Hand auf die meinige und sagte: „Klopstock!" Ich versank in dem Strome von Empfindungen, den sie in dieser Losung über mich ausgoß. Ich ertrug's nicht, neigte mich auf ihre Hand und küßte sie unter den wonnevollesten Tränen. Und sah nach ihrem Auge wieder – Edler! hättest du deine Vergötterung in diesem Blicke gesehn, und möcht ich nun deinen so oft entweihten Namen nie wieder nennen hören!

Am 19. Juni

Wo ich neulich mit meiner Erzählung geblieben bin, weiß ich nicht mehr; das weiß ich, daß es zwei Uhr des Nachts war, als ich zu Bette kam, und daß, wenn ich dir hätte vorschwätzen können, statt zu schreiben, ich dich vielleicht bis an Tag aufgehalten hätte.

Was auf unserer Hereinfahrt vom Balle passiert ist, hab ich noch nicht erzählt, hab auch heute keinen Tag dazu.

Es war der liebwürdigste Sonnenaufgang. Der tröpfelnde Wald und das erfrischte Feld umher! Unsere Gesellschafterinnen nickten ein. Sie fragte mich, ob ich nicht auch von der Partie sein wollte, ihrentwegen sollt ich unbekümmert sein. „Solang ich diese Augen offen sehe", sagt ich und sah sie fest an, „solang hat's keine Gefahr." Und wir haben beide ausgehalten bis an ihr Tor, da ihr die Magd leise aufmachte und auf ihr Fragen vom Vater und den Kleinen versicherte, daß alles wohl sei und noch schlief. Und da verließ ich sie mit dem Versichern, sie selbigen Tags noch zu sehn, und hab mein Versprechen gehalten, und seit der Zeit können Sonne, Mond und Sterne geruhig ihre Wirtschaft treiben, ich weiß weder, daß Tag noch daß Nacht ist, und die ganze Welt verliert sich um mich her.

Am 21. Juni

Ich lebe so glückliche Tage, wie sie Gott seinen Heiligen ausspart, und mit mir mag werden, was will; so darf ich nicht sagen, daß ich die Freuden, die reinsten Freuden des Lebens nicht genossen habe. Du kennst mein Wahlheim. Dort bin ich völlig etabliert. Von dort hab ich nur eine halbe Stunde zu Lotten, dort fühl ich mich selbst und alles Glück, das dem Menschen gegeben ist.

Hätte ich gedacht, als ich mir Wahlheim zum Zwecke meiner Spaziergänge wählte, daß es so nahe am Himmel läge! Wie oft habe ich das Jagdhaus, das nun alle meine Wünsche einschließt, auf meinen weiten Wandrungen bald vom Berge, bald in der Ebne über den Fluß gesehn.

Lieber Wilhelm, ich habe allerlei nachgedacht, über die Begier im Menschen, sich auszubreiten, neue Entdeckungen zu machen, herumzuschweifen; und dann wieder über den innern Trieb, sich der Einschränkung willig zu ergeben und in dem Gleise der Gewohnheit so hinzufahren und sich weder um rechts noch links zu bekümmern.

Es ist wunderbar, wie ich hierher kam und vom Hügel in das schöne Tal schaute, wie es mich ringsumher anzog. Dort das Wäldchen! Ach könntest du dich in seine Schatten mischen! Dort die Spitze des Bergs! Ach könntest du von da die weite Gegend überschauen! Die ineinander gekettete Hügel und vertrauliche Täler. O könnte ich mich in ihnen verlieren! – Ich eilte hin! und kehrte zurück und hatte nicht gefunden, was ich hoffte. O es ist mit der Ferne wie mit der Zukunft! Ein großes dämmerndes Ganze ruht vor unserer Seele, unsere Empfindung verschwimmt sich darinne wie unser Auge, und wir sehnen uns, ach! unser ganzes Wesen hinzugeben, uns mit all der Wonne eines einzigen großen herrlichen Gefühls ausfüllen zu lassen. – Und ach! wenn wir hinzueilen, wenn das Dort nun Hier wird, ist alles vor wie nach, und wir stehen in unserer Armut, in unserer Eingeschränktheit, und unsere Seele lechzt nach entschlüpftem Labsale.

Und so sehnt sich der unruhigste Vagabund zuletzt wieder nach seinem Vaterlande und findet in seiner Hütte, an der Brust seiner Gattin, in dem Kreise seiner Kinder und der Geschäfte zu ihrer Erhaltung all die Wonne, die er in der weiten, öden Welt vergebens suchte.

Wenn ich so des Morgens mit Sonnenaufgange hinausgehe nach meinem Wahlheim und dort im Wirtsgarten mir meine Zuckererbsen selbst pflücke, mich hinsetze und sie abfädme und dazwischen lese in meinem Homer. Wenn ich denn in der kleinen Küche mir einen Topf wähle, mir Butter aussteche, meine Schoten ans Feuer stelle, zudecke und mich dazusetze, sie manchmal umzuschütteln. Da fühl ich so lebhaft, wie die herrlichen, übermütigen Freier der Penelope Ochsen und Schweine schlachten, zerlegen und braten. Es ist nichts, das mich so mit einer stillen, wahren Empfindung ausfüllte als die Züge patriarchalischen Lebens, die ich, Gott sei Dank, ohne Affektation in meine Lebensart verweben kann.

Wie wohl ist mir's, daß mein Herz die simple, harmlose Wonne des Menschen fühlen kann, der ein Krauthaupt auf seinen Tisch bringt, das er selbst gezogen, und nun nicht den Kohl allein, sondern all die guten Tage, den schönen Morgen, da er ihn pflanzte, die lieblichen Abende, da er ihn begoß und da er an dem fortschreitenden Wachstume seine Freude hatte, alle in einem Augenblicke wieder mitgenießt.

Am 29. Juni

Vorgestern kam der Medikus hier aus der Stadt hinaus zum Amtmanne und fand mich auf der Erde unter Lottens Kindern, wie einige auf mir herumkrabbelten, andere mich neckten und wie ich sie kützelte und ein großes Geschrei mit ihnen verführte. Der Doktor, der eine sehr dogmatische Drahtpuppe ist und im Diskurs seine Manschetten in Falten legt und den Kräusel bis zum Nabel herauszupft, fand dieses unter der Würde eines gescheuten Menschen, das merkte ich an seiner Nase. Ich ließ mich aber in nichts stören, ließ ihn sehr vernünftige Sachen abhandeln und baute den Kindern ihre Kartenhäuser wieder, die sie zerschlagen hatten. Auch ging er darauf in der Stadt herum und beklagte: des Amtmanns Kinder wären schon ungezogen genug, der Werther verdürbe sie nun völlig.

Ja, lieber Wilhelm, meinem Herzen sind die Kinder am nächsten auf der Erde. Wenn ich so zusehe und in dem kleinen Dinge die Keime aller Tugenden, aller Kräfte sehe, die sie einmal so nötig brauchen werden, wenn ich in dem Eigensinne alle die künftige Standhaftigkeit und Festigkeit des Charakters, in dem Mutwillen allen künftigen guten Humor und die Leichtigkeit, über alle die Gefahren der Welt hinzuschlüpfen, erblicke, alles so unverdorben, so ganz! Immer, immer wiederhol ich die goldnen Worte des Lehrers der Menschen: Wenn ihr nicht werdet wie eines von diesen! Und nun, mein Bester, sie, die unsersgleichen sind, die wir als unsere Muster ansehen sollten, behandeln wir als Untertanen. Sie sollen keinen Willen haben! – Haben wir denn keinen? und wo liegt das Vorrecht? – Weil wir älter sind und gescheuter? – Guter Gott von deinem Himmel, alte Kinder siehst du und junge Kinder und nichts weiter, und an welchen du mehr Freude hast, das hat dein Sohn schon lange verkündigt. Aber sie glauben an ihn und hören ihn nicht, das ist auch was Alt's, und bilden ihre Kinder nach sich und – Adieu, Wilhelm, ich mag darüber nicht weiter radotieren.

Am 1. Juli

Was Lotte einem Kranken sein muß, fühl ich an meinem eignen armen Herzen, das übler dran ist als manches, das auf dem Siechbette verschmachtet. Sie wird einige Tage in der Stadt bei einer rechtschaffenen Frau zubringen, die sich nach der Aussage der Ärzte ihrem Ende naht, und in diesen letzten Augenblicken will sie Lotten um sich haben. Ich war vorige Woche mit ihr, den Pfarrer von St... zu besuchen, ein Örtchen, das eine Stunde seitwärts im Gebürge liegt. Wir kamen gegen viere dahin. Lotte hatte ihre zweite Schwester mitgenommen. Als wir in den von zwei hohen Nußbäumen überschatteten Pfarrhof traten, saß der gute alte Mann auf einer Bank vor der Haustüre, und da er Lotten sah, ward er wie neubelebt, vergaß seinen Knotenstock und wagte sich auf, ihr entgegen. Sie lief hin zu ihm, nötigte ihn, sich niederzusetzen, indem sie sich zu ihm setzte, brachte viel Grüße von ihrem Vater, herzte seinen garstigen, schmutzigen jüngsten Buben, das Quakelchen seines Alters. Du hättest sie sehen sollen, wie sie den Alten beschäftigte, wie sie ihre Stimme erhub, um seinen halbtauben Ohren vernehmlich zu werden, wie sie ihm erzählte von jungen, robusten Leuten, die unvermutet gestorben wären, von der Vortrefflichkeit des Karlsbades, und wie sie seinen Entschluß lobte, künftigen Sommer hinzugehen, und wie sie fand, daß er viel besser aussähe, viel munterer sei als das letztemal, da sie ihn gesehn. Ich hatte indes der Frau Pfarrern meine Höflichkeiten gemacht, der Alte wurde ganz munter, und da ich nicht umhin konnte, die schönen Nußbäume zu loben, die uns so lieblich beschatteten, fing er an, uns, wiewohl mit einiger Beschwerlichkeit, die Geschichte davon zu geben. „Den alten", sagte er, „wissen wir nicht, wer den gepflanzt hat, einige sagen dieser, andere jener Pfarrer. Der jüngere aber dort hinten ist so alt als meine Frau, im Oktober funfzig Jahre. Ihr Vater pflanzte ihn des Morgens, als sie gegen Abend geboren wurde. Er war mein Vorfahr im Amte, und wie lieb ihm der Baum war, ist nicht zu sagen; mir ist er's gewiß nicht weniger, meine Frau saß drunter auf einem Balken und strickte, als ich vor siebenundzwanzig Jahren als ein armer Student zum erstenmal hier in Hof kam." Lotte fragte nach seiner Tochter, es hieß, sie sei mit Herrn Schmidt auf der

Wiese hinaus zu den Arbeitern, und der Alte fuhr in seiner Erzählung fort, wie sein Vorfahr ihn liebgewonnen und die Tochter dazu und wie er erst sein Vikar und dann sein Nachfolger geworden. Die Geschichte war nicht lange zu Ende, als die Jungfer Pfarrern mit dem sogenannten Herrn Schmidt durch den Garten herkam, sie bewillkommte Lotten mit herzlicher Wärme, und ich muß sagen, sie gefiel mir nicht übel, eine rasche, wohlgewachsne Brünette, die einen die kurze Zeit über auf dem Lande wohl unterhalten hätte. Ihr Liebhaber, denn als solchen stellte sich Herr Schmidt gleich dar, ein feiner, doch stiller Mensch, der sich nicht in unsere Gespräche mischen wollte, ob ihn gleich Lotte immer hereinzog; und was mich am meisten betrübte, war, daß ich an seinen Gesichtszügen zu bemerken schien, es sei mehr Eigensinn und übler Humor als Eingeschränktheit des Verstandes, der ihn sich mitzuteilen hinderte. In der Folge ward dies nur leider zu deutlich, denn als Friedrike beim Spazierengehn mit Lotten und verschiedentlich auch mit mir ging, wurde des Herrn Angesicht, das ohnedas einer bräunlichen Farbe war, so sichtlich verdunkelt, daß es Zeit war, daß Lotte mich beim Ärmel zupfte und mir das Artigtun mit Friederiken abriet. Nun verdrießt mich nichts mehr, als wenn die Menschen einander plagen, am meisten, wenn junge Leute in der Blüte des Lebens, da sie am offensten für alle Freuden sein könnten, einander die paar gute Tage mit Fratzen verderben und nur erst zu spät das Unersetzliche ihrer Verschwendung einsehen. Mir wurmte das, und ich konnte nicht umhin, da wir gegen Abend in den Pfarrhof zurückkehrten und an einem Tische gebrocktes Brot in Milch aßen und der Diskurs auf Freude und Leid in der Welt roulierte, den Faden zu ergreifen und recht herzlich gegen die üble Laune zu reden. „Wir Menschen beklagen uns oft", fing ich an, „daß der guten Tage so wenig sind und der schlimmen so viel, und wie mich dünkt, meist mit Unrecht. Wenn wir immer ein offenes Herz hätten, das Gute zu genießen, das uns Gott für jeden Tag bereitet, wir würden alsdenn auch Kraft genug haben, das Übel zu tragen, wenn es kommt." – „Wir haben aber unser Gemüt nicht in unserer Gewalt", versetzte die Pfarrern, „wie viel hängt vom Körper ab! Wenn man nicht wohl ist, ist's einem überall nicht recht." Ich gestund ihr das ein. „Wir wollen's also", fuhr ich fort, „als eine Krankheit ansehen und fragen, ob dafür kein Mittel ist!" – „Das läßt sich hören", sagte Lotte, „ich glaube wenigstens, daß viel von uns abhängt, ich weiß es an mir, wenn mich etwas neckt und mich verdrüßlich machen will, spring ich auf und sing ein paar Contretänze den Garten auf und ab, gleich ist's weg." – „Das war's, was ich sagen wollte", versetzte ich, „es ist mit der üblen Laune völlig wie mit der Trägheit, denn es ist eine Art von Trägheit; unsere Natur hängt sehr dahin, und doch, wenn wir nur einmal die Kraft haben, uns zu ermannen, geht uns die Arbeit frisch von der Hand, und wir finden in der Tätigkeit ein wahres Vergnügen." Friederike war sehr aufmerksam, und der junge Mensch wandte mir ein, daß man nicht Herr über sich selbst sei und am wenigsten über seine Empfindungen gebieten könne. „Es ist hier die Frage von einer unangenehmen Empfindung", versetzt ich, „die doch jedermann gern los ist, und niemand weiß, wie weit seine Kräfte gehn, bis er sie versucht hat. Gewiß, einer, der krank ist, wird bei allen Ärzten herumfragen und die größten Resignationen, die bittersten Arzneien wird er nicht abweisen, um seine gewünschte Gesundheit zu erhalten." Ich bemerkte, daß der ehrliche Alte sein Gehör anstrengte, um an unserm Diskurs teilzunehmen, ich erhub die Stimme, indem ich die Rede gegen ihn wandte. „Man predigt gegen so viele Laster", sagt ich, „ich habe noch nie gehört, daß man gegen die üble Laune vom Predigtstuhle gearbeitet hätte."* – „Das müßten die Stadtpfarrer tun", sagt' er, „die Bauern haben keinen bösen Humor"; doch könnt's auch nichts schaden zuweilen, es wäre eine Lektion für seine Frau wenigstens und den Herrn Amtmann. Die Gesellschaft lachte, und er

* Wir haben nun von Lavatern eine treffliche Predigt hierüber, unter denen über das Buch Jonas.

herzlich mit, bis er in einen Husten verfiel, der unsern Diskurs eine Zeitlang unterbrach, darauf denn der junge Mensch wieder das Wort nahm: „Sie nannten den bösen Humor ein Laster, mich deucht, das ist übertrieben." – „Mitnichten", gab ich zur Antwort, „wenn das, womit man sich selbst und seinen Nächsten schadet, den Namen verdient. Ist es nicht genug, daß wir einander nicht glücklich machen können, müssen wir auch noch einander das Vergnügen rauben, das jedes Herz sich noch manchmal selbst gewähren kann. Und nennen Sie mir den Menschen, der übler Laune ist und so brav dabei, sie zu verbergen, sie allein zu tragen, ohne die Freuden um sich her zu zerstören; oder ist sie nicht vielmehr ein innerer Unmut über unsre eigne Unwürdigkeit, ein Mißfallen an uns selbst, das immer mit einem Neide verknüpft ist, der durch eine törige Eitelkeit aufgehetzt wird: wir sehen glückliche Menschen, die wir nicht glücklich machen, und das ist unerträglich!" Lotte lächelte mich an, da sie die Bewegung sah, mit der ich redte, und eine Träne in Friederikens Auge spornte mich fortzufahren. „Weh denen", sagt ich, „die sich der Gewalt bedienen, die sie über ein Herz haben, um ihm die einfachen Freuden zu rauben, die aus ihm selbst hervorkeimen. Alle Geschenke, alle Gefälligkeiten der Welt ersetzen nicht einen Augenblick Vergnügen an sich selbst, den uns eine neidische Unbehaglichkeit unsers Tyrannen vergällt hat."

Mein ganzes Herz war voll in diesem Augenblicke, die Erinnerung so manches Vergangenen drängte sich an meine Seele, und die Tränen kamen mir in die Augen.

„Wer sich das nur täglich sagte", rief ich aus, „du vermagst nichts auf deine Freunde, als ihnen ihre Freude zu lassen und ihr Glück zu vermehren, indem du es mit ihnen genießest. Vermagst du, wenn ihre innre Seele von einer ängstigenden Leidenschaft gequält, vom Kummer zerrüttet ist, ihnen einen Tropfen Linderung zu geben?

Und wenn die letzte, bangste Krankheit dann über das Geschöpf herfällt, das du in blühenden Tagen untergraben hast, und sie nun da liegt in dem erbärmlichen Ermatten und das Aug gefühllos gen Himmel sieht und der Todesschweiß auf ihrer Stirne abwechselt und du vor dem Bette stehst wie ein Verdammter, in dem innigsten Gefühl, daß du nichts vermagst mit all deinem Vermögen, und die Angst dich inwendig krampft, daß du alles hingeben möchtest, um dem untergehenden Geschöpf einen Tropfen Stärkung, einen Funken Mut einflößen zu können."

Die Erinnerung einer solchen Szene, da ich gegenwärtig war, fiel mit ganzer Gewalt bei diesen Worten über mich. Ich nahm das Schnupftuch vor die Augen und verließ die Gesellschaft, und nur Lottens Stimme, die mir rief, wir wollten fort, brachte mich zu mir selbst. Und wie sie mich auf dem Wege schalt über den zu warmen Anteil an allem! und daß ich drüber zugrunde gehen würde! Daß ich mich schonen sollte! O der Engel! Um deinetwillen muß ich leben!

Am 6. Juli

Sie ist immer um ihre sterbende Freundin und ist immer dieselbe, immer das gegenwärtige holde Geschöpf, das, wo sie hinsieht, Schmerzen lindert und Glückliche macht. Sie ging gestern abend mit Mariannen und dem kleinen Malchen spazieren, ich wußt es und traf sie an, und wir gingen zusammen. Nach einem Wege von anderthalb Stunden kamen wir gegen die Stadt zurück, an den Brunnen, der mir so wert ist und nun tausendmal werter ward, als Lotte sich aufs Mäuerchen setzte. Ich sah umher, ach! und die Zeit, da mein Herz so allein war, lebte wieder vor mir auf. „Lieber Brunn'", sagt ich, „seither hab ich nicht mehr an deiner Kühle geruht, habe in eilendem Vorübergehn dich manchmal nicht angesehn." Ich blickte hinab und sah, daß Malchen mit einem Glase Wasser sehr beschäftigt heraufstieg. Ich sahe Lotten an und fühlte alles, was ich an ihr habe. Indem so kommt Malchen mit einem Glase, Marianne wollt es ihr abnehmen. „Nein!" rufte das Kind mit dem süß'ten Ausdrucke, „nein,

Lottchen, du sollst zuerst trinken!“ Ich ward über die Wahrheit, die Güte, womit sie das ausrief, so entzückt, daß ich meine Empfindung mit nichts ausdrucken konnte, als ich nahm das Kind von der Erde und küßte es lebhaft, das sogleich zu schreien und zu weinen anfing. „Sie haben übel getan“, sagte Lotte! Ich war betroffen. „Komm, Malchen“, fuhr sie fort, indem sie es an der Hand nahm und die Stufen hinabführte, „da wasche dich aus der frischen Quelle, geschwind, geschwind, da tut's nichts.“ Wie ich so da stund und zusah, mit welcher Emsigkeit das Kleine mit seinen nassen Händchen die Backen rieb, mit welchem Glauben, daß durch die Wunderquelle alle Verunreinigung abgespült und die Schmach abgetan würde, einen häßlichen Bart zu kriegen. Wie Lotte sagte: „Es ist genug“ und das Kind doch immer eifrig fortwusch, als wenn Viel mehr täte als Wenig. Ich sage dir, Wilhelm, ich habe mit mehr Respekt nie einer Taufhandlung beigewohnt, und als Lotte heraufkam, hätte ich mich gern vor ihr niedergeworfen wie vor einem Propheten, der die Schulden einer Nation weggeweiht hat.

Des Abends konnt ich nicht umhin, in der Freude meines Herzens den Vorfall einem Manne zu erzählen, dem ich Menschensinn zutraute, weil er Verstand hat. Aber wie kam ich an. Er sagte, das wäre sehr übel von Lotten gewesen, man solle die Kinder nichts weismachen, dergleichen gäbe zu unzähligen Irrtümern und Aberglauben Anlaß, man müßte die Kinder frühzeitig davor bewahren. Nun fiel mir ein, daß der Mann vor acht Tagen hatte taufen lassen, drum ließ ich's vorbeigehn und blieb in meinem Herzen der Wahrheit getreu: wir sollen es mit den Kindern machen wie Gott mit uns, der uns am glücklichsten macht, wenn er uns im freundlichen Wahne so hintaumeln läßt.

Am 8. Juli

Was man ein Kind ist! Was man nach so einem Blicke geizt! Was man ein Kind ist! Wir waren nach Wahlheim gegangen, die Frauenzimmer fuhren hinaus, und während unsrer Spaziergänge glaubt ich in Lottens schwarzen Augen – Ich bin ein Tor, verzeih mir's, du solltest sie sehn, diese Augen. Daß ich kurz bin, denn die Augen fallen mir zu vom Schlaf. Siehe, die Frauenzimmer stiegen ein, da stunden um die Kutsche der junge W ..., Selstadt und Audran und ich. Da ward aus dem Schlage geplaudert mit den Kerlchens, die freilich leicht und lüftig genug waren. Ich suchte Lottens Augen! Ach, sie gingen von einem zum andern! Aber auf mich! Mich! Mich! der ganz allein auf sie resigniert dastund, fielen sie nicht! Mein Herz sagte ihr tausend Adieu! Und sie sah mich nicht! Die Kutsche fuhr vorbei, und eine Träne stund mir im Auge. Ich sah ihr nach! Und sah Lottens Kopfputz sich zum Schlag herauslehnen, und sie wandte sich um, zu sehn. Ach! Nach mir? – Lieber! In dieser Ungewißheit schweb ich! Das ist mein Trost. Vielleicht hat sie sich nach mir umgesehen. Vielleicht – Gute Nacht! O was ich ein Kind bin!

Am 10. Juli

Die alberne Figur, die ich mache, wenn in Gesellschaft von ihr gesprochen wird, solltest du sehen. Wenn man mich nun gar fragt, wie sie mir gefällt – Gefällt! das Wort haß ich in Tod. Was muß das für ein Kerl sein, dem Lotte gefällt, dem sie nicht alle Sinnen, alle Empfindungen ausfüllt. Gefällt! Neulich fragte mich einer, wie mir Ossian gefiele.

Am 11. Juli

Frau M ... ist sehr schlecht, ich bete für ihr Leben, weil ich mit Lotten dulde. Ich seh sie selten bei einer Freundin, und heut hat sie mir einen wunderbaren Vorfall erzählt. Der alte M ... ist ein geiziger, rangiger Hund, der seine Frau im Leben was rechts geplagt und eingeschränkt hat. Doch hat sich die Frau immer durchzuhelfen gewußt. Vor wenig Tagen, als der Doktor ihr das Leben abgesprochen hatte, ließ sie ihren Mann kommen, Lotte war im Zimmer, und redte ihn also an: „Ich muß dir eine Sache gestehn, die nach meinem Tode Verwirrung und Verdruß machen könnte. Ich habe bisher die Haushaltung geführt, so ordentlich und sparsam als möglich, allein du wirst mir verzeihen, daß ich dich diese dreißig Jahre her hintergangen habe. Du bestimmtest im Anfange unserer Heirat ein Geringes für die Bestreitung der Küche und anderer häuslichen Ausgaben. Als unsere Haushaltung stärker wurde, unser Gewerb größer, warst du nicht zu bewegen, mein Wochengeld nach dem Verhältnisse zu vermehren, kurz, du weißt, daß du in den Zeiten, da sie am größten war, verlangtest, ich solle mit sieben Gulden die Woche auskommen. Die hab ich denn ohne Widerrede genommen und mir den Überschuß wöchentlich aus der Losung geholt, da niemand vermutete, daß die Frau die Kasse bestehlen würde. Ich habe nichts verschwendet und wäre auch, ohne es zu bekennen, getrost der Ewigkeit entgegengegangen, wenn nicht diejenige, die nach mir das Wesen zu führen hat, sich nicht zu helfen wissen würde und du doch immer drauf bestehen könntest, deine erste Frau sei damit ausgekommen."

Ich redete mit Lotten über die unglaubliche Verblendung des Menschensinns, daß einer nicht argwohnen soll, dahinter müsse was anders stecken, wenn eins mit sieben Gulden hinreicht, wo man den Aufwand vielleicht um zweimal soviel sieht. Aber ich hab selbst Leute gekannt, die des Propheten ewiges Ölkrüglein ohne Verwunderung in ihrem Hause statuiert hätten.

Am 13. Juli

Nein, ich betrüge mich nicht! Ich lese in ihren schwarzen Augen wahre Teilnehmung an mir und meinem Schicksale. Ja ich fühle, und darin darf ich meinem Herzen trauen, daß sie – O darf ich, kann ich den Himmel in diesen Worten aussprechen? – daß sie mich liebt.

Mich liebt! Und wie wert ich mir selbst werde! Wie ich – dir darf ich's wohl sagen, du hast Sinn für so etwas – wie ich mich selbst anbete, seitdem sie mich liebt.

Und ob das Vermessenheit ist oder Gefühl des wahren Verhältnisses: Ich kenne den Menschen nicht, von dem ich etwas in Lottens Herzen fürchtete. Und doch – wenn sie von ihrem Bräutigam spricht mit all der Wärme, all der Liebe, da ist mir's wie einem, der all seiner Ehren und Würden entsetzt und dem der Degen abgenommen wird.

Am 16. Juli

Ach, wie mir das durch alle Adern läuft, wenn mein Finger unversehns den ihrigen berührt, wenn unsere Füße sich unter dem Tische begegnen. Ich ziehe zurück wie vom Feuer, und eine geheime Kraft zieht mich wieder vorwärts, mir wird's so schwindlig vor allen Sinnen. O und ihre Unschuld, ihre unbefangene Seele fühlt nicht, wie sehr mich die kleinen Vertraulichkeiten peinigen. Wenn sie gar im Gespräch ihre Hand auf die meinige legt und im Interesse der Unterredung näher zu mir rückt, daß der himmlische Atem ihres Mundes meine Lippen reichen kann. – Ich glaube zu versinken, wie vom Wetter gerührt. Und, Wilhelm, wenn ich mich jemals unterstehe, diesen Himmel, dieses Vertrauen – Du verstehst mich. Nein, mein Herz ist so verderbt nicht! Schwach! schwach genug! Und ist das nicht Verderben?

Sie ist mir heilig. Alle Begier schweigt in ihrer Gegenwart. Ich weiß nimmer, wie mir ist, wenn ich bei ihr bin, es ist, als wenn die Seele sich mir in allen Nerven umkehrte. Sie hat eine Melodie, die sie auf dem Klavier spielt mit der Kraft eines Engels, so simpel und so geistvoll, es ist ihr Leiblied, und mich stellt es von aller Pein, Verwirrung und Grillen her, wenn sie nur die erste Note davon greift.

Kein Wort von der Zauberkraft der alten Musik ist mir unwahrscheinlich, wie mich der einfache Gesang angreift. Und wie sie ihn anzubringen weiß, oft zur Zeit, wo ich mir eine Kugel vor 'n Kopf schießen möchte. Und all die Irrung und Finsternis meiner Seele zerstreut sich, und ich atme wieder freier.

Am 18. Juli

Wilhelm, was ist unserm Herzen die Welt ohne Liebe! Was eine Zauberlaterne ist ohne Licht! Kaum bringst du das Lämpchen hinein, so scheinen dir die buntesten Bilder an deine weiße Wand! Und wenn's nichts wäre als das, als vorübergehende Phantomen, so macht's doch immer unser Glück, wenn wir wie frische Bubens davorstehen und uns über die Wundererscheinungen entzücken. Heut konnt ich nicht zu Lotten, eine unvermeidliche Gesellschaft hielt mich ab. Was war zu tun. Ich schickte meinen Buben hinaus, nur um einen Menschen um mich zu haben, der ihr heute nahe gekommen wäre. Mit welcher Ungeduld ich den Buben erwartete, mit welcher Freude ich ihn wiedersah. Ich hätt ihn gern beim Kopf genommen und geküßt, wenn ich mich nicht geschämt hätte.

Man erzählt von dem Bononischen Stein, daß er, wenn man ihn in die Sonne legt, ihre Strahlen anzieht und eine Weile bei Nacht leuchtet. So war mir's mit dem Jungen. Das Gefühl, daß ihre Augen auf seinem Gesicht, seinen Backen, seinen Rockknöpfen und dem Kragen am Surtout geruht hatten, machte mir das all so heilig, so wert, ich hätte in dem Augenblicke den Jungen nicht vor tausend Taler gegeben. Es war mir so wohl in seiner Gegenwart – Bewahre dich Gott, daß du darüber nicht lachst. Wilhelm, sind das Phantomen, wenn es uns wohl wird?

Den 19. Juli

„Ich werde sie sehen", ruf ich morgens aus, wenn ich mich ermuntre und mit aller Heiterkeit der schönen Sonne entgegenblicke. „Ich werde sie sehen!" Und da hab ich für den ganzen Tag keinen Wunsch weiter. Alles, alles verschlingt sich in dieser Aussicht.

Den 20. Juli

Eure Idee will noch nicht die meinige werden, daß ich mit dem Gesandten nach *** gehen soll. Ich liebe die Subordination nicht sehr, und wir wissen alle, daß der Mann noch dazu ein widriger Mensch ist. Meine Mutter möchte mich gern in Aktivität haben, sagst du, das hat mich zu lachen gemacht, bin ich jetzt nicht auch aktiv? und ist's im Grund nicht einerlei: ob ich Erbsen zähle oder Linsen? Alles in der Welt läuft doch auf eine Lumperei hinaus, und ein Kerl, der um anderer willen, ohne daß es seine eigene Leidenschaft ist, sich um Geld oder Ehre oder sonstwas abarbeitet, ist immer ein Tor.

Am 24. Juli

Da dir so viel daran gelegen ist, daß ich mein Zeichnen nicht vernachlässige, möcht ich lieber die ganze Sache übergehn als dir sagen: daß zeither wenig getan wird.

Noch nie war ich glücklicher, noch nie meine Empfindung an der Natur, bis aufs Steinchen, aufs Gräschen herunter, voller und inniger, und doch – ich weiß nicht, wie ich mich ausdrücken soll, meine vorstellende Kraft ist so schwach, alles schwimmt, schwankt vor meiner Seele, daß ich keinen Umriß packen kann; aber ich bilde mir ein, wenn ich Ton hätte oder Wachs, so wollt ich's wohl herausbilden, ich werde auch Ton nehmen, wenn's länger währt, und kneten, und sollten's Kuchen werden.

Lottens Porträt habe ich dreimal angefangen und habe mich dreimal prostituiert, das mich um so mehr verdrießt, weil ich vor einiger Zeit sehr glücklich im Treffen war, darauf hab ich denn ihren Schattenriß gemacht, und damit soll mir genügen.

Am 26. Juli

Ich habe mir schon so manchmal vorgenommen, sie nicht so oft zu sehn. Ja, wer das halten könnte! Alle Tage unterlieg ich der Versuchung und verspreche mir heilig: morgen willst du einmal wegbleiben, und wenn der Morgen kommt, find ich doch wieder eine unwiderstehliche Ursache, und eh ich mich's versehe, bin ich bei ihr. Entweder sie hat des

Abends gesagt: „Sie kommen doch morgen?“ Wer könnte da wegbleiben? Oder der Tag ist gar zu schön, ich gehe nach Wahlheim, und wenn ich so da bin – ist's nur noch eine halbe Stunde zu ihr! Ich bin zu nah in der Atmosphäre, zuck! so bin ich dort. Meine Großmutter hatte ein Märchen vom Magnetenberg. Die Schiffe, die zu nahe kamen, wurden auf einmal alles Eisenwerks beraubt, die Nägel flogen dem Berge zu, und die armen Elenden scheiterten zwischen den übereinanderstürzenden Brettern.

Am 30. Juli

Albert ist angekommen, und ich werde gehen, und wenn er der beste, der edelste Mensch wäre, unter den ich mich in allem Betracht zu stellen bereit wäre, so wär's unerträglich, ihn vor meinem Angesichte im Besitze so vieler Vollkommenheiten zu sehen. Besitz! – Genug, Wilhelm, der Bräutigam ist da. Ein braver, lieber Kerl, dem man gut sein muß. Glücklicherweise war ich nicht beim Empfange! Das hätte mir das Herz zerrissen. Auch ist er so ehrlich und hat Lotten in meiner Gegenwart noch nicht einmal geküßt. Das lohn ihm Gott! Um des Respekts willen, den er vor dem Mädchen hat, muß ich ihn lieben. Er will mir wohl, und ich vermute, das ist Lottens Werk mehr als seiner eigenen Empfindung, denn darin sind die Weiber fein und haben recht. Wenn sie zwei Kerls in gutem Vernehmen miteinander halten können, ist der Vorteil immer ihre, so selten es auch angeht.

Indes kann ich Alberten meine Achtung nicht versagen, seine gelaßne Außenseite sticht gegen die Unruhe meines Charakters sehr lebhaft ab, die sich nicht verbergen läßt, er hat viel Gefühl und weiß, was er an Lotten hat. Er scheint wenig üble Laune zu haben, und du weißt, das ist die Sünde, die ich ärger hasse am Menschen als alle andre.

Er hält mich für einen Menschen von Sinn, und meine Anhänglichkeit an Lotten, meine warme Freude, die ich an all ihren Handlungen habe, vermehrt seinen Triumph, und er liebt sie nur desto mehr. Ob er sie nicht manchmal heimlich mit kleiner Eifersüchtelei peinigt, das laß ich dahingestellt sein, wenigstens an seinem Platze würde ich nicht ganz sicher vor dem Teufel bleiben.

Dem sei nun wie ihm wolle, meine Freude, bei Lotten zu sein, ist hin! Soll ich das Torheit nennen oder Verblendung? – Was braucht's Namen! Erzählt die Sache an sich! – Ich wußte alles, was ich jetzt weiß, eh Albert kam, ich wußte, daß ich keine Prätensionen auf sie zu machen hatte, machte auch keine – Heißt das, insofern es möglich ist, bei so viel Liebenswürdigkeiten nicht zu begehren – Und jetzt macht der Fratze große Augen, da der andere nun wirklich kommt und ihm das Mädchen wegnimmt.

Ich beiße die Zähne aufeinander und spotte über mein Elend und spottete derer doppelt und dreifach, die sagen könnten, ich sollte mich resignieren und weil's nun einmal nicht anders sein könnte. – Schafft mir die Kerls vom Hals! – Ich laufe in den Wäldern herum, und wenn ich zu Lotten komme und Albert so bei ihr sitzt im Gärtchen unter der Laube und ich nicht weiter kann, so bin ich ausgelassen närrisch und fange viel Possen, viel verwirrtes Zeug an. „Um Gottes willen", sagte mir Lotte heute, „ich bitte Sie! keine Szene wie die von gestern abend! Sie sind fürchterlich, wenn Sie so lustig sind." Unter uns, ich passe die Zeit ab, wenn er zu tun hat, wutsch! bin ich drauß, und da ist mir's immer wohl, wenn ich sie allein finde.

Am 8. Aug.

Ich bitte dich, lieber Wilhelm! Es war gewiß nicht auf dich geredt, wenn ich schrieb: schafft mir die Kerls vom Hals, die sagen, ich sollte mich resignieren. Ich dachte wahrlich nicht dran, daß du von ähnlicher Meinung sein könntest. Und im Grunde hast du recht! Nur eins, mein Bester, in der Welt ist's sehr selten mit dem Entweder-Oder getan, es gibt so viel Schattierungen der Empfindungen und Handlungsweisen als Abfälle zwischen einer Habichts- und Stumpfnase.

Du wirst mir also nicht übelnehmen, wenn ich dir dein ganzes Argument einräume und mich doch zwischen dem Entweder-Oder durchzustehlen suche.

Entweder, sagst du, hast du Hoffnung auf Lotten, oder du hast keine. Gut! Im ersten Falle such sie durchzutreiben, suche die Erfüllung deiner Wünsche zu umfassen, im andern Falle ermanne dich und suche einer elenden Empfindung loszuwerden, die all deine Kräfte verzehren muß. Bester, das ist wohl gesagt und – bald gesagt.

Und kannst du von dem Unglücklichen, dessen Leben unter einer schleichenden Krankheit unaufhaltsam allmählich abstirbt, kannst du von ihm verlangen, er solle durch einen Dolchstoß der Qual auf einmal ein Ende machen? Und raubt das Übel, das ihm die Kräfte wegzehrt, ihm nicht auch zugleich den Mut, sich davon zu befreien?

Zwar könntest du mir mit einem verwandten Gleichnisse antworten: Wer ließe sich nicht lieber den Arm abnehmen, als daß er durch Zaudern und Zagen sein Leben aufs Spiel setzte – Ich weiß nicht – und wir wollen uns nicht in Gleichnissen herumbeißen. Genug – Ja, Wilhelm, ich habe manchmal so einen Augenblick aufspringenden, abschüttelnden Muts, und da, wenn ich nur wüßte wohin, ich ginge wohl.

Am 10. Aug.

Ich könnte das beste, glücklichste Leben führen, wenn ich nicht ein Tor wäre. So schöne Umstände vereinigen sich nicht leicht zusammen, eines Menschen Herz zu ergötzen, als die sind, in denen ich mich jetzt befinde. Ach so gewiß ist's, daß unser Herz allein sein Glück macht! Ein Glied der liebenswürdigen Familie auszumachen, von dem Alten geliebt zu werden wie ein Sohn, von den Kleinen wie ein Vater und von Lotten – und nun der ehrliche Albert, der durch keine launische Unart mein Glück stört, der mich mit herzlicher Freundschaft umfaßt, dem ich nach Lotten das Liebste auf der Welt bin – Wilhelm, es ist eine Freude, uns zu hören, wenn wir spazierengehn und uns einander von Lotten unterhalten, es ist in der Welt nichts Lächerlichers erfunden worden als dieses Verhältnis, und doch kommen mir drüber die Tränen oft in die Augen.

Wenn er mir so von ihrer rechtschaffenen Mutter erzählt, wie die auf ihrem Todbette Lotten ihr Haus und ihre Kinder übergeben und ihm Lotten anbefohlen habe, wie seit der Zeit ein ganz anderer Geist Lotten belebt, wie sie in Sorge für ihre Wirtschaft und im Ernste eine wahre Mutter geworden, wie kein Augenblick ihrer Zeit ohne tätige Liebe, ohne Arbeit verstrichen und wie dennoch all ihre Munterkeit, all ihr Leichtsinn sie nicht verlassen habe. Ich gehe so neben ihm hin und pflücke Blumen am Wege, füge sie sehr sorgfältig in einen Strauß und – werfe sie in den vorüberfließenden Strom und sehe ihnen nach, wie sie leise hinunterwallen. Ich weiß nicht, ob ich dir geschrieben habe, daß Albert hier bleiben und ein Amt mit einem artigen Auskommen vom Hofe erhalten wird, wo er sehr beliebt ist. In Ordnung und Emsigkeit in Geschäften hab ich wenig seinesgleichen gesehen.

Am 12. Aug.

Gewiß, Albert ist der beste Mensch unter dem Himmel, ich habe gestern eine wunderbare Szene mit ihm gehabt. Ich kam zu ihm, um Abschied zu nehmen, denn mich wandelte die Lust an, ins Gebürg zu reiten, von daher ich dir auch jetzt schreibe, und wie ich in der Stube auf und ab gehe, fallen mir seine Pistolen in die Augen. „Borg mir die Pistolen“, sagt ich, „zu meiner Reise.“ – „Meinetwegen“, sagt’ er, „wenn du dir die Mühe geben willst, sie zu laden, bei mir hängen sie nur pro forma.“ Ich nahm eine herunter, und er fuhr fort: „Seit mir meine Vorsicht einen so unartigen Streich gespielt hat, mag ich mit dem Zeuge nichts mehr zu tun haben.“ Ich war neugierig, die Geschichte zu wissen. „Ich hielte mich“, erzählte er, „wohl ein Vierteljahr auf dem Lande bei einem Freunde auf, hatte ein Paar Terzerolen, ohngeladen, und schlief ruhig. Einmal an einem regnichten Nachmittage, da ich so müßig sitze, weiß ich nicht, wie mir einfällt: wir könnten überfallen werden, wir könnten die Terzerols nötig haben und könnten – du weißt ja, wie das ist. Ich gab sie dem Bedienten, sie zu putzen und zu laden, und der dahlt mit den Mädchen, will sie erschröcken, und Gott weiß wie, das Gewehr geht los, da der Ladstock noch drin steckt, und schießt den Ladstock einem Mädchen zur Maus hinein, an der rechten Hand, und zerschlägt ihr den Daumen. Da hatt ich das Lamentieren und den Barbierer zu bezahlen obendrein, und seit der Zeit laß ich all das Gewehr ungeladen. Lieber Schatz, was ist Vorsicht! die Gefahr läßt sich nicht auslernen! – Zwar –" Nun weißt du, daß ich den Menschen sehr liebhabe bis auf seine Zwar. Denn versteht sich's nicht von selbst, daß jeder allgemeine Satz Ausnahmen leidet. Aber so rechtfertig ist der Mensch, wenn er glaubt, etwas Übereiltes, Allgemeines, Halbwahres gesagt zu haben, so hört er dir nicht auf, zu limitieren, modifizieren und ab- und zuzutun, bis zuletzt gar nichts mehr an der Sache ist. Und bei diesem Anlasse kam er sehr tief in Text, und ich hörte endlich gar nicht weiter auf ihn, verfiel in Grillen, und mit einer auffahrenden Gebärde druckt ich mir die Mündung der Pistolen übers rechte Aug an die Stirn. „Pfui", sagte Albert, indem er mir die Pistole herabzog, „was soll das!" – „Sie ist nicht geladen", sagt ich. „Und auch so! Was soll's?" versetzt' er ungeduldig. „Ich kann mir nicht vorstellen, wie ein Mensch so töricht sein kann, sich zu erschießen; der bloße Gedanke erregt mir Widerwillen."

„Daß ihr Menschen", rief ich aus, „um von einer Sache zu reden, gleich sprechen müßt: Das ist törig, das ist klug, das ist gut, das ist bös! Und was will das all heißen? Habt ihr deswegen die innern Verhältnisse einer Handlung erforscht? Wißt ihr mit Bestimmtheit die Ursachen zu entwickeln, warum sie geschah, warum sie geschehen mußte? Hättet ihr das, ihr würdet nicht so eilfertig mit euren Urteilen sein."

„Du wirst mir zugeben", sagte Albert, „daß gewisse Handlungen lasterhaft bleiben, sie mögen aus einem Beweggrunde geschehen, aus welchem sie wollen."

Ich zuckte die Achseln und gab's ihm zu. „Doch, mein Lieber", fuhr ich fort, „finden sich auch hier einige Ausnahmen. Es ist wahr, der Diebstahl ist ein Laster; aber der Mensch, der, um sich und die Seinigen vom schmählichen Hungertode zu erretten, auf Raub ausgeht, verdient der Mitleiden oder Strafe? Wer hebt den ersten Stein auf gegen den Ehemann, der im gerechten Zorne sein untreues Weib und ihren nichtswürdigen Verführer aufopfert? Gegen das Mädchen, das in einer wonnevollen Stunde sich in den unaufhaltsamen Freuden der Liebe verliert? Unsere Gesetze selbst, diese kaltblütigen Pedanten, lassen sich rühren und halten ihre Strafe zurück."

„Das ist ganz was anders", versetzte Albert, „weil ein Mensch, den seine Leidenschaften hinreißen, alle Besinnungskraft verliert und als ein Trunkener, als ein Wahnsinniger angesehen wird." – „Ach ihr vernünftigen Leute!" rief ich lächelnd aus. „Leidenschaft! Trunkenheit! Wahnsinn! Ihr steht so gelassen, so ohne Teilnehmung da, ihr sittlichen Menschen, scheltet den Trinker, verabscheuet den Unsinnigen, geht vorbei wie der Priester und dankt Gott wie der Pharisäer, daß er euch nicht gemacht hat wie einen von diesen. Ich bin mehr als einmal trunken gewesen, und meine Leidenschaften waren nie weit vom Wahnsinne, und beides reut mich nicht, denn ich habe in meinem Maße begreifen lernen: Wie man alle außerordentliche Menschen, die etwas Großes, etwas Unmöglichscheinendes würkten, von jeher für Trunkene und Wahnsinnige ausschreien mußte.

Aber auch im gemeinen Leben ist's unerträglich, einem Kerl bei halbweg einer freien, edlen, unerwarteten Tat nachrufen zu hören: ‚Der Mensch ist trunken, der ist närrisch.' Schämt euch, ihr Nüchternen! Schämt euch, ihr Weisen!" – „Das sind nun wieder von deinen Grillen", sagte Albert. „Du überspannst alles und hast wenigstens hier gewiß unrecht, daß du den Selbstmord, wovon wir jetzo reden, mit großen Handlungen vergleichst, da man es doch für nichts anders als eine Schwäche halten kann; denn freilich ist es leichter, zu sterben als ein qualvolles Leben standhaft zu ertragen."

Ich war im Begriffe abzubrechen, denn kein Argument in der Welt bringt mich so aus der Fassung, als wenn einer mit einem unbedeutenden Gemeinspruche angezogen kommt, da ich aus ganzem Herzen rede. Doch faßt ich mich, weil ich's schon öfter gehört und mich öfter darüber geärgert hatte, und versetzte ihm mit einiger Lebhaftigkeit: „Du nennst das Schwäche! Ich bitte dich, laß dich vom Anscheine nicht verführen. Ein Volk, das unter dem unerträglichen Joche eines Tyrannen seufzt, darfst du das schwach heißen, wenn es endlich aufgärt und seine Ketten zerreißt. Ein Mensch, der über dem Schrecken, daß Feuer sein Haus ergriffen hat, alle Kräfte zusammengespannt fühlt und mit Leichtigkeit Lasten wegträgt, die er bei ruhigem Sinne kaum bewegen kann; einer, der in der Wut der Beleidigung es mit sechsen aufnimmt und sie überwältigt, sind die schwach zu nennen? Und, mein Guter, wenn Anstrengung Stärke ist, warum soll die Überspannung das Gegenteil sein?" Albert sah mich an und sagte: „Nimm mir's nicht übel, die Beispiele, die du da gibst, scheinen hierher gar nicht zu gehören." – „Es mag sein", sagt ich, „man hat mir schon öfter vorgeworfen, daß meine Kombinationsart manchmal ans Radotage grenze! Laßt uns denn sehen, ob wir auf eine andere Weise uns vorstellen können, wie es dem Menschen zumute sein mag, der sich entschließt, die sonst so angenehme Bürde des Lebens abzuwerfen; denn nur insofern wir mitempfinden, haben wir Ehre, von einer Sache zu reden.

Die menschliche Natur", fuhr ich fort, „hat ihre Grenzen, sie kann Freude, Leid, Schmerzen bis auf einen gewissen Grad ertragen und geht zugrunde, sobald der überstiegen ist.

Hier ist also nicht die Frage, ob einer schwach oder stark ist, sondern ob er das Maß seines Leidens ausdauren kann, es mag nun moralisch oder physikalisch sein, und ich finde es ebenso wunderbar zu sagen, der Mensch ist feig, der sich das Leben nimmt, als es ungehörig wäre, den einen Feigen zu nennen, der an einem bösartigen Fieber stirbt."

„Paradox! sehr paradox!" rief Albert aus. „Nicht so sehr, als du denkst", versetzt ich. „Du gibst mir zu, wir nennen das eine Krankheit zum Tode, wodurch die Natur so angegriffen wird, daß teils ihre Kräfte verzehrt, teils so außer Würkung gesetzt werden, daß sie sich nicht wieder aufzuhelfen, durch keine glückliche Revolution den gewöhnlichen Umlauf des Lebens wiederherzustellen fähig ist.

Nun, mein Lieber, laß uns das auf den Geist anwenden. Sieh den Menschen an in seiner Eingeschränktheit, wie Eindrücke auf ihn würken, Ideen sich bei ihm festsetzen, bis endlich eine wachsende Leidenschaft ihn aller ruhigen Sinneskraft beraubt und ihn zugrunde richtet.

Vergebens, daß der gelaßne, vernünftige Mensch den Zustand des Unglücklichen übersieht, vergebens, daß er ihm zuredet, eben als wie ein Gesunder, der am Bette des Kranken steht, ihm von seinen Kräften nicht das geringste einflößen kann."

Alberten war das zu allgemein gesprochen; ich erinnerte ihn an ein Mädchen, das man vor weniger Zeit im Wasser tot gefunden, und wiederholt ihm ihre Geschichte. „Ein gutes junges Geschöpf, das in dem engen Kreise häuslicher Beschäftigungen, wöchentlicher bestimmter Arbeit so herangewachsen war, das weiter keine Aussicht von Vergnügen kannte, als etwa sonntags in einem nach und nach zusammengeschafften Putze mit ihresgleichen um die Stadt spazierenzugehen, vielleicht alle hohe Feste einmal zu tanzen und übrigens mit aller Lebhaftigkeit des herzlichsten Anteils manche Stunde über den Anlaß eines Gezänkes, einer übeln Nachrede mit einer Nachbarin zu verplaudern; deren feurige Natur fühlt nun endlich innigere Bedürfnisse, die durch die Schmeicheleien der Männer vermehrt werden, all ihre vorige Freuden werden ihr nach und nach unschmackhaft, bis sie endlich einen Menschen antrifft, zu dem ein unbekanntes Gefühl sie unwiderstehlich hinreißt, auf den sie nun all ihre Hoffnungen wirft, die Welt rings um sich vergißt, nichts hört, nichts sieht, nichts fühlt als ihn, den Einzigen, sich nur sehnt nach ihm, dem Einzigen. Durch die leere Vergnügen einer unbeständigen Eitelkeit nicht verdorben, zieht ihr Verlangen grad nach dem Zwecke: Sie will die Seinige werden, sie will in ewiger Verbindung all das Glück antreffen, das ihr mangelt, die Vereinigung aller Freuden genießen, nach denen sie sich sehnte. Wiederholtes Versprechen, das ihr die Gewißheit aller Hoffnungen versiegelt, kühne Liebkosungen, die ihre Begierden vermehren, umfangen ganz ihre Seele, sie schwebt in einem dumpfen Bewußtsein, in einem Vorgefühl aller Freuden, sie ist bis auf den höchsten Grad gespannt, wo sie endlich ihre Arme ausstreckt, all ihre Wünsche zu umfassen – und ihr Geliebter verläßt sie. – Erstarrt, ohne Sinne steht sie vor einem Abgrunde, und alles ist Finsternis um sie her, keine Aussicht, kein Trost, keine Ahndung; denn der hat sie verlassen, in dem sie allein ihr Dasein fühlte. Sie sieht nicht die weite Welt, die vor ihr liegt, nicht die vielen, die ihr den Verlust ersetzen könnten, sie fühlt sich allein, verlassen von aller Welt – und blind, in die Enge gepreßt von der entsetzlichen Not ihres Herzens, stürzt sie sich hinunter, um in einem rings umfangenden Tode all ihre Qualen zu ersticken. – Sieh, Albert, das ist die Geschichte so manches Menschen, und sag, ist das nicht der Fall der Krankheit? Die Natur findet keinen Ausweg aus dem Labyrinthe der verworrenen und widersprechenden Kräfte, und der Mensch muß sterben.

Wehe dem, der zusehen und sagen könnte: ‚Die Törin! hätte sie gewartet, hätte sie die Zeit würken lassen, es würde sich die Verzweiflung schon gelegt, es würde sich ein anderer, sie zu trösten, schon vorgefunden haben.‘

Das ist eben, als wenn einer sagte: ‚Der Tor! stirbt am Fieber! Hätte er gewartet, bis sich seine Kräfte erholt, seine Säfte verbessert, der Tumult seines Blutes gelegt hätten, alles wäre gut gegangen, und er lebte bis auf den heutigen Tag!‘“

Albert, dem die Vergleichung noch nicht anschaulich war, wandte noch einiges ein, und unter andern: ich habe nur von einem einfältigen Mädchen gesprochen, wie denn aber ein Mensch von Verstande, der nicht so eingeschränkt sei, der mehr Verhältnisse übersähe, zu entschuldigen sein möchte, könne er nicht begreifen. „Mein Freund", rief ich aus, „der Mensch ist Mensch, und das bißchen Verstand, das einer haben mag, kommt wenig oder nicht in Anschlag, wenn Leidenschaft wütet und die Grenzen der Menschheit einen drängen. Vielmehr – ein andermal davon", sagt ich und griff nach meinem Hute. O mir war das Herz so voll – Und wir gingen auseinander, ohne einander verstanden zu haben. Wie denn auf dieser Welt keiner leicht den andern versteht.

Am 15. Aug.

Es ist doch gewiß, daß in der Welt den Menschen nichts notwendig macht als die Liebe. Ich fühl's an Lotten, daß sie mich ungern verlöre, und die Kinder haben keine andre Idee, als daß ich immer morgen wiederkommen würde. Heut war ich hinausgegangen, Lottens Klavier zu stimmen, ich konnte aber nicht dazu kommen, denn die Kleinen verfolgten mich um ein Märchen, und Lotte sagte denn selbst, ich sollte ihnen den Willen tun. Ich schnitt ihnen das Abendbrot, das sie nun fast so gerne von mir als von Lotten annehmen, und erzählte ihnen das Hauptstückchen von der Prinzessin, die von Händen bedient wird. Ich lerne viel dabei, das versichr' ich dich, und ich bin erstaunt, was es auf sie für Eindrücke macht. Weil ich manchmal einen Inzidenzpunkt erfinden muß, den ich beim zweitenmal vergesse, sagen sie gleich, das vorigemal wär's anders gewest, so daß ich mich jetzt übe, sie unveränderlich in einem singenden Silbenfall an einem Schnürchen weg zu rezitieren. Ich habe daraus gelernt, wie ein Autor durch eine zweite, veränderte Auflage seiner Geschichte, und wenn sie noch so poetisch besser geworden wäre, notwendig seinem Buche schaden muß. Der erste Eindruck findet uns willig, und der Mensch ist so gemacht, daß man ihm das Abenteuerlichste überreden kann, das haftet aber auch gleich so fest, und wehe dem, der es wieder auskratzen und austilgen will.

Am 18. Aug.

Mußte denn das so sein? daß das, was des Menschen Glückseligkeit macht, wieder die Quelle seines Elends würde.

Das volle, warme Gefühl meines Herzens an der lebendigen Natur, das mich mit so viel Wonne überströmte, das ringsumher die Welt mir zu einem Paradiese schuf, wird mir jetzt zu einem unerträglichen Peiniger, zu einem quälenden Geiste, der mich auf allen Wegen verfolgt. Wenn ich sonst vom Fels über den Fluß bis zu jenen Hügeln das fruchtbare Tal überschaute und alles um mich her keimen und quellen sah, wenn ich jene Berge, vom Fuße bis auf zum Gipfel, mit hohen, dichten Bäumen bekleidet, all jene Täler in ihren mannigfaltigen Krümmungen von den lieblichsten Wäldern beschattet sah und der sanfte Fluß zwischen den lispelnden Rohren dahingleitete und die lieben Wolken abspiegelte, die der sanfte Abendwind am Himmel herüberwiegte, wenn ich denn die Vögel um mich den Wald beleben hörte und die Millionen Mückenschwärme im letzten roten Strahle der Sonne mutig tanzten und ihr letzter, zuckender Blick den summenden Käfer aus seinem Grase befreite und das Gewebere um mich her mich auf den Boden aufmerksam machte und das Moos, das meinem harten Felsen seine Nahrung abzwingt, und das Geniste, das den dürren Sandhügel hinunterwächst, mir alles das innere, glühende, heilige Leben der Natur eröffnete, wie umfaßt ich das all mit warmen Herzen, verlor mich in der unendlichen Fülle, und die herrlichen Gestalten der unendlichen Welt bewegten sich allebend in meiner Seele. Ungeheure Berge umgaben mich, Abgründe lagen vor mir, und Wetterbäche stürzten herunter, die Flüsse strömten unter mir, und Wald und Gebürg erklang. Und ich sah sie würken und schaffen ineinander in den Tiefen der Erde, all die Kräfte unergründlich. Und nun über der Erde und unter dem Himmel wimmeln die Geschlechter der Geschöpfe all, und alles, alles bevölkert mit tausendfachen Gestalten, und die Menschen dann sich in Häuslein zusammen sichern und sich annisten und herrschen in ihrem Sinne über die weite Welt! Armer Tor, der du alles so gering achtest, weil du so klein bist. Vom unzugänglichen Gebürge über die Einöde, die kein Fuß betrat, bis ans Ende des unbekannten Ozeans weht der Geist des Ewigschaffenden und freut sich jedes Staubs, der ihn vernimmt und lebt. Ach damals, wie oft hab ich mich mit Fittichen eines Kranichs, der über mich hinflog, zu dem Ufer des ungemessenen Meeres gesehnt, aus dem schäumenden Becher des Unendlichen jene schwellende Lebenswonne zu trinken und nur einen Augenblick in der eingeschränkten Kraft meines Busens einen Tropfen der Seligkeit des Wesens zu fühlen, das alles in sich und durch sich hervorbringt.

Bruder, nur die Erinnerung jener Stunden macht mir wohl, selbst diese Anstrengung, jene unsäglichen Gefühle zurückzurufen, wieder auszusprechen, hebt meine Seele über sich selbst und läßt mir dann das Bange des Zustands doppelt empfinden, der mich jetzt umgibt.

Es hat sich vor meiner Seele wie ein Vorhang weggezogen, und der Schauplatz des unendlichen Lebens verwandelt sich vor mir in den Abgrund des ewig offnen Grabs. Kannst du sagen: Das ist! da alles vorübergeht, da alles mit der Wetterschnelle vorüberrollt, so selten die ganze Kraft seines Daseins ausdauert, ach, in den Strom fortgerissen, untergetaucht und an Felsen zerschmettert wird. Da ist kein Augenblick, der nicht dich verzehrte und die Deinigen um dich her, kein Augenblick, da du nicht ein Zerstörer bist, sein mußt. Der harmloseste Spaziergang kostet tausend, tausend armen Würmchen das Leben, es zerrüttet ein Fußtritt die mühseligen Gebäude der Ameisen und stampft eine kleine Welt in ein schmähliches Grab. Ha! nicht die große, seltene Not der Welt, diese Fluten, die eure Dörfer wegspülen, diese Erdbeben, die eure Städte verschlingen, rühren mich. Mir untergräbt das Herz die verzehrende Kraft, die im All der Natur verborgen liegt, die nichts gebildet hat, das nicht seinen Nachbar, nicht sich selbst zerstörte. Und so taumele ich beängstet! Himmel und Erde und all die webenden Kräfte um mich her! Ich sehe nichts als ein ewig verschlingendes, ewig wiederkäuendes Ungeheur.

Am 21. Aug.

Umsonst strecke ich meine Arme nach ihr aus, morgens, wenn ich von schweren Träumen aufdämmere, vergebens such ich sie nachts in meinem Bette, wenn mich ein glücklicher, unschuldiger Traum getäuscht hat, als säß ich neben ihr auf der Wiese und hielte ihre Hand und deckte sie mit tausend Küssen. Ach, wenn ich denn noch halb im Taumel des Schlafs nach ihr tappe und drüber mich ermuntere – Ein Strom von Tränen bricht aus meinem gepreßten Herzen, und ich weine trostlos einer finstern Zukunft entgegen.

Am 22. Aug.

Es ist ein Unglück, Wilhelm! all meine tätigen Kräfte sind zu einer unruhigen Lässigkeit verstimmt, ich kann nicht müßig sein, und wieder kann ich nichts tun. Ich hab keine Vorstellungskraft, kein Gefühl an der Natur, und die Bücher speien mich alle an. Wenn wir uns selbst fehlen, fehlt uns doch alles. Ich schwöre dir, manchmal wünschte ich, ein Taglöhner zu sein, um nur des Morgens beim Erwachen eine Aussicht auf den künftigen Tag, einen Drang, eine Hoffnung zu haben. Oft beneid ich Alberten, den ich über die Ohren in Akten begraben sehe, und bilde mir ein: mir wär's wohl, wenn ich an seiner Stelle wäre! Schon etlichemal ist mir's so aufgefahren, ich wollte dir schreiben und dem Minister und um die Stelle bei der Gesandtschaft anhalten, die, wie du versicherst, mir nicht versagt werden würde. Ich glaube es selbst, der Minister liebt mich seit lange, hatte lange mir angelegen, ich sollte mich employieren, und eine Stunde ist mir's auch wohl drum zu tun; hernach, wenn ich so wieder dran denke und mir die Fabel vom Pferde einfällt, das, seiner Freiheit ungeduldig, sich Sattel und Zeug auflegen läßt und zu Schanden geritten wird. Ich weiß nicht, was ich soll – Und, mein Lieber! Ist nicht vielleicht das Sehnen in mir nach Veränderung des Zustands eine innre unbehagliche Ungeduld, die mich überallhin verfolgen wird?

Am 28. Aug.

Es ist wahr, wenn meine Krankheit zu heilen wäre, so würden diese Menschen es tun. Heut ist mein Geburtstag, und in aller Frühe empfang ich ein Päckchen von Alberten. Mir fällt beim Eröffnen sogleich eine der blaßroten Schleifen in die Augen, die Lotte vor hatte, als ich sie kennenlernte, und um die ich sie seither etlichemal gebeten hatte. Es waren zwei Büchelchen in Duodez dabei, der kleine Wetsteinische Homer, ein Büchelchen, nach dem ich so oft verlangt, um mich auf dem Spaziergange mit dem Ernestischen nicht zu schleppen. Sieh! so kommen sie meinen Wünschen zuvor, so suchen sie all die kleinen Gefälligkeiten der Freundschaft auf, die tausendmal werter sind als jene blendende Geschenke, wodurch uns die Eitelkeit des Gebers erniedrigt. Ich küsse diese Schleife tausendmal, und mit jedem Atemzuge schlürfe ich die Erinnerung jener Seligkeiten ein, mit denen mich jene wenige glückliche, unwiederbringliche Tage überfüllten. Wilhelm, es ist so, und ich murre nicht, die Blüten des Lebens sind nur Erscheinungen! Wie viele gehn vorüber, ohne eine Spur hinter sich zu lassen, wie wenige setzen Frucht an, und wie wenige dieser Früchte werden reif. Und doch sind deren noch genug da, und doch – O mein Bruder! können wir gereifte Früchte vernachlässigen, verachten, ungenossen verwelken und verfaulen lassen?

Lebe wohl! Es ist ein herrlicher Sommer, ich sitze oft auf den Obstbäumen in Lottens Baumstück mit dem Obstbrecher, der langen Stange, und hole die Birn aus dem Gipfel. Sie steht unten und nimmt sie ab, wenn ich sie ihr hinunterlasse.

Am 30. Aug.

Unglücklicher! Bist du nicht ein Tor? Betrügst du dich nicht selbst? Was soll all diese tobende, endlose Leidenschaft? Ich habe kein Gebet mehr als an sie, meiner Einbildungskraft erscheint keine andere Gestalt als die ihrige, und alles in der Welt um mich her sehe ich nur im Verhältnisse mit ihr. Und das macht mir denn so manche glückliche Stunde – Bis ich mich wieder von ihr losreißen muß, ach Wilhelm, wozu mich mein Herz oft drängt! – Wenn ich so bei ihr gesessen bin, zwei, drei Stunden, und mich an der Gestalt, an dem Betragen, an dem himmlischen Ausdruck ihrer Worte geweidet habe und nun so nach und nach alle meine Sinnen aufgespannt werden, mir's düster vor den Augen wird, ich kaum was noch höre und mich's an die Gurgel faßt wie ein Meuchelmörder, dann mein Herz in wilden Schlägen den bedrängten Sinnen Luft zu machen sucht und ihre Verwirrung vermehrt. Wilhelm, ich weiß oft nicht, ob ich auf der Welt bin! Und wenn nicht manchmal die Wehmut das Übergewicht nimmt und Lotte mir den elenden Trost erlaubt, auf ihrer Hand meine Beklemmung auszuweinen, so muß ich fort! Muß hinaus! Und schweife dann weit im Felde umher. Einen gähen Berg zu klettern, ist dann meine Freude, durch einen unwegsamen Wald einen Pfad durchzuarbeiten, durch die Hecken, die mich verletzen, durch die Dornen, die mich zerreißen! Da wird mir's etwas besser! Etwas! Und wenn ich für Müdigkeit und Durst manchsmal unterwegs liegenbleibe, manchmal in der tiefen Nacht, wenn der hohe Vollmond über mir steht, im einsamen Walde auf einem krummgewachsnen Baum mich setze, um meinen verwundeten Sohlen nur einige Linderung zu verschaffen, und dann in einer ermattenden Ruhe in dem Dämmerscheine hinschlummre! O Wilhelm! Die einsame Wohnung einer Zelle, das härne Gewand und der Stachelgürtel wären Labsale, nach denen meine Seele schmachtet. Adieu. Ich seh all dieses Elends kein Ende als das Grab.

Am 3. Sept.

Ich muß fort! Ich danke dir, Wilhelm, daß du meinen wankenden Entschluß bestimmt hast. Schon vierzehn Tage geh ich mit dem Gedanken um, sie zu verlassen. Ich muß. Sie ist wieder in der Stadt bei einer Freundin. Und Albert – und – ich muß fort.

Am 10. Sept.

Das war eine Nacht! Wilhelm, nun übersteh ich alles. Ich werde sie nicht wiedersehn. O daß ich nicht an deinen Hals fliegen, dir mit tausend Tränen und Entzückungen ausdrükken kann, mein Bester, all die Empfindungen, die mein Herz bestürmen. Hier sitz ich und schnappe nach Luft, suche mich zu beruhigen und erwarte den Morgen, und mit Sonnenaufgang sind die Pferde bestellt.

Ach, sie schläft ruhig und denkt nicht, daß sie mich nie wiedersehen wird. Ich habe mich losgerissen, bin stark genug gewesen, in einem Gespräche von zwei Stunden mein Vorhaben nicht zu verraten. Und Gott, welch ein Gespräch!

Albert hatte mir versprochen, gleich nach dem Nachtessen mit Lotten im Garten zu sein. Ich stand auf der Terrasse unter den hohen Kastanienbäumen und sah der Sonne nach, die mir nun zum letztenmal über dem lieblichen Tale, über dem sanften Flusse unterging. So oft hatte ich hier gestanden mit ihr und ebendem herrlichen Schauspiele zugesehen, und nun – Ich ging in der Allee auf und ab, die mir so lieb war; ein geheimer sympathetischer Zug hatte mich hier so oft gehalten, eh ich noch Lotten kannte, und wie freuten wir uns, als im Anfange unserer Bekanntschaft wir die wechselseitige Neigung zu dem Plätzchen entdeckten, das wahrhaftig eins der romantischten ist, die ich von der Kunst habe hervorgebracht gesehen.

Erst hast du zwischen den Kastanienbäumen die weite Aussicht – Ach, ich erinnere mich, ich habe dir, denk ich, schon viel geschrieben davon, wie hohe Buchenwände einen endlich einschließen und durch ein daran stoßendes Bosquet die Allee immer düstrer wird, bis zuletzt alles sich in ein geschlossenes Plätzchen endigt, das alle Schauer der Einsamkeit umschweben. Ich fühl es noch, wie heimlich mir's ward, als ich zum erstenmal an einem hohen Mittage hineintrat, ich ahndete ganz leise, was das noch für ein Schauplatz werden sollte von Seligkeit und Schmerz.

Ich hatte mich etwa eine halbe Stunde in denen schmachtend süßen Gedanken des Abscheidens, des Wiedersehns geweidet, als ich sie die Terrasse heraufsteigen hörte, ich lief ihnen entgegen, mit einem Schauer faßt ich ihre Hand und küßte sie. Wir waren eben heraufgetreten, als der Mond hinter dem büschigen Hügel aufging, wir redeten mancherlei und kamen unvermerkt dem düstern Kabinette näher. Lotte trat hinein und setzte sich, Albert neben sie, ich auch, doch meine Unruhe ließ mich nicht lange sitzen, ich stand auf, trat vor sie, ging auf und ab, setzte mich wieder, es war ein ängstlicher Zustand. Sie machte uns aufmerksam auf die schöne Würkung des Mondenlichts, das am Ende der Buchenwände die ganze Terrasse vor uns erleuchtete, ein herrlicher Anblick, der um so viel frappanter war, weil uns rings eine tiefe Dämmerung einschloß. Wir waren still, und sie fing nach einer Weile an: „Niemals geh ich im Mondenlichte spazieren, niemals, daß mir nicht der Gedanke an meine Verstorbenen begegnete, daß nicht das Gefühl von Tod, von Zukunft über mich käme. Wir werden sein", fuhr sie mit der Stimme des herrlichsten Gefühls fort, „aber, Werther, sollen wir uns wiederfinden? und wiedererkennen? Was ahnden Sie, was sagen Sie?"

„Lotte", sagt ich, indem ich ihr die Hand reichte und mir die Augen voll Tränen wurden, „wir werden uns wiedersehn! Hier und dort wiedersehn!" Ich konnte nicht weiterreden – Wilhelm, mußte sie mich das fragen, da ich diesen ängstlichen Abschied im Herzen hatte.

„Und ob die lieben Abgeschiednen von uns wissen", fuhr sie fort, „ob sie fühlen, wann's uns wohl geht, daß wir mit warmer Liebe uns ihrer erinnern? O die Gestalt meiner

Mutter schwebt immer um mich, wenn ich so am stillen Abend unter ihren Kindern, unter meinen Kindern sitze und sie um mich versammlet sind, wie sie um sie versammlet waren. Wenn ich so mit einer sehnenden Träne gen Himmel sehe und wünsche: daß sie hereinschauen könnte einen Augenblick, wie ich mein Wort halte, das ich ihr in der Stunde des Todes gab: die Mutter ihrer Kinder zu sein. Hundertmal ruf ich aus: ‚Verzeih mir's, Teuerste, wenn ich ihnen nicht bin, was du ihnen warst. Ach! tu ich doch alles, was ich kann, sind sie doch gekleidet, genährt, ach, und was mehr ist als das alles, gepflegt und geliebet. Könntest du unsere Eintracht sehn, liebe Heilige! du würdest mit dem heißesten Danke den Gott verherrlichen, den du mit den letzten, bittersten Tränen um die Wohlfahrt deiner Kinder batst.'" Sie sagte das! O Wilhelm! wer kann wiederholen, was sie sagte, wie kann der kalte, tote Buchstabe diese himmlische Blüte des Geistes darstellen. Albert fiel ihr sanft in die Rede: „Es greift Sie zu stark an, liebe Lotte, ich weiß, Ihre Seele hängt sehr nach diesen Ideen, aber ich bitte Sie –" – „O Albert", sagte sie, „ich weiß, du vergißt nicht die Abende, da wir zusammen saßen an dem kleinen runden Tischchen, wenn der Papa verreist war und wir die Kleinen schlafen geschickt hatten. Du hattest oft ein gutes Buch und kamst so selten dazu, etwas zu lesen. War der Umgang dieser herrlichen Seele nicht mehr als alles! die schöne, sanfte, muntere und immer tätige Frau! Gott kennt meine Tränen, mit denen ich mich oft in meinem Bette vor ihn hinwarf: er möchte mich ihr gleichmachen."

„Lotte!" rief ich aus, indem ich mich vor sie hinwarf, ihre Hände nahm und mit tausend Tränen netzte. „Lotte, der Segen Gottes ruht über dir und der Geist deiner Mutter!" – „Wenn Sie sie gekannt hätten!" sagte sie, indem sie mir die Hand drückte, „sie war wert, von Ihnen gekannt zu sein." Ich glaubte zu vergehen; nie war ein größeres, stolzeres Wort über mich ausgesprochen worden, und sie fuhr fort: „Und diese Frau mußte in der Blüte ihrer Jahre dahin, da ihr jüngster Sohn nicht sechs Monate alt war. Ihre Krankheit dauerte nicht lange; sie war ruhig, resigniert, nur ihre Kinder taten ihr weh, besonders das kleine. Wie es gegen das Ende ging und sie zu mir sagte: ‚Bring mir sie herauf!' und wie ich sie hereinführte, die kleinen, die nicht wußten, und die ältesten, die ohne Sinne waren, wie sie ums Bett standen und wie sie die Hände aufhub und über sie betete und sie küßte nacheinander und sie wegschickte und zu mir sagte: ‚Sei ihre Mutter!' Ich gab ihr die Hand drauf! ‚Du versprichst viel, meine Tochter', sagte sie, ‚das Herz einer Mutter und das Aug einer Mutter! Ich hab oft an deinen dankbaren Tränen gesehen, daß du fühlst, was das sei. Hab es für deine Geschwister und für deinen Vater die Treue, den Gehorsam einer Frau. Du wirst ihn trösten.' Sie fragte nach ihm, er war ausgegangen, um uns den unerträglichen Kummer zu verbergen, den er fühlte, der Mann war ganz zerrissen.

Albert, du warst im Zimmer! Sie hörte jemand gehn und fragte und forderte dich zu ihr. Und wie sie dich ansah und mich, mit dem getrösteten, ruhigen Blicke, daß wir glücklich sein, zusammen glücklich sein würden." Albert fiel ihr um den Hals und küßte sie und rief: „Wir sind's! wir werden's sein." Der ruhige Albert war ganz aus seiner Fassung, und ich wußte nichts von mir selber.

„Werther", fing sie an, „und diese Frau sollte dahin sein! Gott, wenn ich manchmal so denke, wie man das Liebste seines Lebens so wegtragen läßt und niemand als die Kinder das so scharf fühlt, die sich noch lange beklagten: die schwarzen Männer hätten die Mama weggetragen."

Sie stund auf, und ich ward erweckt und erschüttert, blieb sitzen und hielt ihre Hand. „Wir wollen fort", sagte sie, „es wird Zeit." Sie wollte ihre Hand zurückziehen, und ich hielt sie fester! „Wir werden uns wiedersehn", rief ich, „wir werden uns finden, unter allen Gestalten werden wir uns erkennen. Ich gehe", fuhr ich fort, „ich gehe willig, und doch, wenn ich sagen sollte auf ewig, ich würde es nicht aushalten. Leb wohl, Lotte! Leb wohl, Albert! Wir sehen uns wieder." –

„Morgen, denk ich“, versetzte sie scherzend, ich fühlte das „Morgen“! Ach, sie wußte nicht, als sie ihre Hand aus der meinigen zog – sie gingen die Allee hinaus, ich stand, sah ihnen nach im Mondscheine und warf mich an die Erde und weinte mich aus und sprang auf, lief auf die Terrasse hervor und sah noch dort drunten im Schatten der hohen Lindenbäume ihr weißes Kleid nach der Gartentüre schimmern, ich streckte meine Arme hinaus, und es verschwand.

ZWEITER TEIL

Am 20. Okt. 1771

Gestern sind wir hier angelangt. Der Gesandte ist unpaß und wird sich also einige Tage einhalten, wenn er nur nicht so unhold wäre, wär alles gut. Ich merke, ich merke, das Schicksal hat mir harte Prüfungen zugedacht. Doch gutes Muts! ein leichter Sinn trägt alles! Ein leichter Sinn! Das macht mich zu lachen, wie das Wort in meine Feder kommt. O ein bißchen leichteres Blut würde mich zum glücklichsten Menschen unter der Sonne machen. Was! Da, wo andre mit ihrem bißchen Kraft und Talent vor mir in behaglicher Selbstgefälligkeit herumschwadronieren, verzweifl ich an meiner Kraft, an meinen Gaben. Guter Gott! der du mir das alles schenktest, warum hieltest du nicht die Hälfte zurück und gabst mir Selbstvertrauen und Genügsamkeit!

Geduld! Geduld! Es wird besser werden. Denn ich sage dir, Lieber, du hast recht. Seit ich unter dem Volke so alle Tage herumgetrieben werde und sehe, was sie tun und wie sie's treiben, steh ich viel besser mit mir selbst. Gewiß, weil wir doch einmal so gemacht sind, daß wir alles mit uns und uns mit allem vergleichen, so liegt Glück oder Elend in den Gegenständen, womit wir uns zusammenhalten, und da ist nichts gefährlicher als die Einsamkeit. Unsere Einbildungskraft, durch ihre Natur gedrungen, sich zu erheben, durch die phantastische Bilder der Dichtkunst genährt, bildet sich eine Reihe Wesen hinauf, wo wir das unterste sind und alles außer uns herrlicher erscheint, jeder andre vollkommner ist. Und das geht ganz natürlich zu: Wir fühlen so oft, daß uns manches mangelt, und eben was uns fehlt, scheint uns oft ein anderer zu besitzen, dem wir denn auch alles dazugeben, was wir haben, und noch eine gewisse idealische Behaglichkeit dazu. Und so ist der Glückliche vollkommen fertig, das Geschöpf unserer selbst.

Dagegen wenn wir mit all unserer Schwachheit und Mühseligkeit nur gerade fortarbeiten, so finden wir gar oft, daß wir mit all unserm Schlendern und Lavieren es weiter bringen als andre mit ihren Segeln und Rudern – und – das ist doch ein wahres Gefühl seiner selbst, wenn man andern gleich- oder gar vorlauft.

Am 10. Nov.

Ich fange an, mich insofern ganz leidlich hier zu befinden. Das beste ist, daß es zu tun genug gibt, und dann die vielerlei Menschen, die allerlei neue Gestalten machen mir ein buntes Schauspiel vor meiner Seele. Ich habe den Grafen C... kennenlernen, einen Mann, den ich jeden Tag mehr verehren muß. Einen weiten, großen Kopf, und der deswegen nicht kalt ist, weil er viel übersieht; aus dessen Umgange so viel Empfindung für Freundschaft und Liebe hervorleuchtet. Er nahm teil an mir, als ich einen Geschäftsauftrag an ihn ausrichtete und er bei den ersten Worten merkte, daß wir uns verstunden, daß er mit mir reden konnte wie nicht mit jedem. Auch kann ich sein offnes Betragen gegen mich nicht genug rühmen. So eine wahre, warme Freude ist nicht in der Welt, als eine große Seele zu sehen, die sich gegen einen öffnet.

Am 24. Dez.

Der Gesandte macht mir viel Verdruß, ich hab es vorausgesehn. Es ist der pünktlichste Narre, den's nur geben kann. Schritt vor Schritt und umständlich wie eine Base. Ein Mensch, der nie selbst mit sich zufrieden ist und dem's daher niemand zu Danke machen kann. Ich arbeite gern leicht weg, und wie's steht, so steht's, da ist er imstande, mir einen Aufsatz zurückzugeben und zu sagen: „Er ist gut, aber sehen Sie ihn durch, man findt immer ein besser Wort, eine reinere Partikel." Da möcht ich des Teufels werden. Kein Und, kein Bindwörtchen sonst darf außenbleiben, und von allen Inversionen, die mir manchmal entfahren, ist er ein Todfeind. Wenn man seinen Period nicht nach der hergebrachten Melodie heraborgelt, so versteht er gar nichts drinne. Das ist ein Leiden, mit so einem Menschen zu tun zu haben.

Das Vertrauen des Grafen von C... ist noch das einzige, was mich schadlos hält. Er sagte mir letzthin ganz aufrichtig, wie unzufrieden er über die Langsamkeit und Bedenklichkeit meines Gesandten sei. „Die Leute erschweren sich's und andern. Doch", sagt' er, „man muß sich darein resignieren wie ein Reisender, der über einen Berg muß. Freilich! wär der Berg nicht da, wäre der Weg viel bequemer und kürzer, er ist nun aber da! und es soll drüber!"

Mein Alter spürt auch wohl den Vorzug, den mir der Graf vor ihm gibt, und das ärgert ihn, und er ergreift jede Gelegenheit, Übels gegen mich vom Grafen zu reden, ich halte, wie natürlich, Widerpart, und dadurch wird die Sache nur schlimmer. Gestern gar bracht er mich auf, denn ich war mitgemeint. Zu so Weltgeschäften wäre der Graf ganz gut, er hätte viel Leichtigkeit zu arbeiten und führte eine gute Feder, doch an gründlicher Gelehrsamkeit mangelt es ihm wie all den Belletristen. Darüber hätt ich ihn gern ausgeprügelt, denn weiter ist mit den Kerls nicht zu räsonieren; da das aber nun nicht anging, so focht ich mit ziemlicher Heftigkeit und sagt ihm, der Graf sei ein Mann, vor dem man Achtung haben müßte, wegen seines Charakters sowohl als seiner Kenntnisse; „ich habe", sagt ich, „niemand gekannt, dem es so geglückt wäre, seinen Geist zu erweitern, ihn über unzählige Gegenstände zu verbreiten und doch die Tätigkeit fürs gemeine Leben zu behalten." Das waren dem Gehirn spanische Dörfer, und ich empfahl mich, um nicht über ein weiteres Deraisonnement noch mehr Galle zu schlucken.

Und daran seid ihr all schuld, die ihr mich in das Joch geschwatzt und mir so viel von Aktivität vorgesungen habt. Aktivität! Wenn nicht der mehr tut, der Kartoffeln steckt und in die Stadt reitet, sein Korn zu verkaufen, als ich, so will ich zehn Jahre noch mich auf der Galeere abarbeiten, auf der ich nun angeschmiedet bin.

Und das glänzende Elend, die Langeweile unter dem garstigen Volke, das sich hier nebeneinander sieht. Die Rangsucht unter ihnen, wie sie nur wachen und aufpassen, einander ein Schrittchen abzugewinnen, die elendesten, erbärmlichsten Leidenschaften, ganz ohne Röckchen! Da ist ein Weib, zum Exempel, die jedermann von ihrem Adel und ihrem Lande unterhält, daß nun jeder Fremde denken muß: Das ist eine Närrin, die sich auf das bißchen Adel und auf den Ruf ihres Landes Wunderstreiche einbildet. – Aber es ist noch viel ärger, eben das Weib ist hier aus der Nachbarschaft eine Amtschreiberstochter. – Sieh, ich kann das Menschengeschlecht nicht begreifen, das so wenig Sinn hat, um sich so platt zu prostituieren.

Zwar ich merke täglich mehr, mein Lieber, wie töricht man ist, andre nach sich zu berechnen. Und weil ich so viel mit mir selbst zu tun habe und dieses Herz und Sinn so stürmisch ist, ach ich lasse gern die andern ihres Pfads gehen, wenn sie mich nur auch könnten gehn lassen.

Was mich am meisten neckt, sind die fatalen bürgerlichen Verhältnisse. Zwar weiß ich so gut als einer, wie nötig der Unterschied der Stände ist, wieviel Vorteile er mir selbst verschafft, nur soll er mir nicht eben grad im Wege stehn, wo ich noch ein wenig Freude, einen Schimmer von Glück auf dieser Erden genießen könnte. Ich lernte neulich auf dem Spaziergange ein Fräulein von B... kennen, ein liebenswürdiges Geschöpf, das sehr viele Natur mitten in dem steifen Leben erhalten hat. Wir gefielen uns in unserm Gespräche, und da wir schieden, bat ich sie um Erlaubnis, sie bei sich sehen zu dürfen. Sie gestattete mir das mit so viel Freimütigkeit, daß ich den schicklichen Augenblick kaum erwarten konnte, zu ihr zu gehen. Sie ist nicht von hier und wohnt bei einer Tante im Hause. Die Physiognomie der alten Schachtel gefiel mir nicht. Ich bezeigte ihr viel Aufmerksamkeit, mein Gespräch war meist an sie gewandt, und in minder als einer halben Stunde hatte ich so ziemlich weg, was mir das Fräulein nachher selbst gestund: daß die liebe Tante in ihrem Alter und dem Mangel von allem, vom anständigen Vermögen an bis auf den Geist, keine Stütze hat als die Reihe ihrer Vorfahren, keinen Schirm als den Stand, in dem sie sich verpalisadiert, und kein Ergötzen, als von ihrem Stockwerk herab über die bürgerlichen Häupter wegzusehen. In ihrer Jugend soll sie schön gewesen sein und ihr Leben so weggegaukelt, erst mit ihrem Eigensinne manchen armen Jungen gequält und in reifern Jahren sich unter den Gehorsam eines alten Offiziers geduckt haben, der gegen diesen Preis und einen leidlichen Unterhalt das eh'rne Jahrhundert mit ihr zubrachte und starb, und nun sieht sie im eisernen sich allein und würde nicht angesehn, wär ihre Nichte nicht so liebenswürdig.

Den 8. Jan. 1772

Was das für Menschen sind, deren ganze Seele auf dem Zeremoniell ruht, deren Dichten und Trachten jahrelang dahin geht, wie sie um einen Stuhl weiter hinauf bei Tische sich einschieben wollen. Und nicht, daß die Kerls sonst keine Angelegenheit hätten, nein, vielmehr häufen sich die Arbeiten, eben weil man über die kleinen Verdrüßlichkeiten von Beförderung der wichtigen Sachen abgehalten wird. Vorige Woche gab's bei der Schlittenfahrt Händel, und der ganze Spaß wurde verdorben.

Die Toren, die nicht sehen, daß es eigentlich auf den Platz gar nicht ankommt und daß der, der den ersten hat, so selten die erste Rolle spielt! Wie mancher König wird durch seinen Minister, wie mancher Minister durch seinen Sekretär regiert. Und wer ist dann der Erste? Der, dünkt mich, der die andern übersieht und so viel Gewalt oder List hat, ihre Kräfte und Leidenschaften zu Ausführung seiner Plane anzuspannen.

Am 20. Jan.

Ich muß Ihnen schreiben, liebe Lotte, hier in der Stube einer geringen Bauernherberge, in die ich mich vor einem schweren Wetter geflüchtet habe. Solange ich in dem traurigen Neste D... unter dem fremden, meinem Herzen ganz fremden Volke herumziehe, hab ich keinen Augenblick gehabt, keinen, an dem mein Herz mich geheißen hätte, Ihnen zu schreiben. Und jetzt in dieser Hütte, in dieser Einsamkeit, in dieser Einschränkung, da Schnee und Schloßen wider mein Fensterchen wüten, hier waren Sie mein erster Gedanke. Wie ich hereintrat, überfiel mich Ihre Gestalt, Ihr Andenken. O Lotte! so heilig, so warm! Guter Gott! der erste glückliche Augenblick wieder.

Wenn Sie mich sähen, meine Beste, in dem Schwall von Zerstreuung! Wie ausgetrocknet meine Sinnen werden, nicht *einen* Augenblick der Fülle des Herzens, nicht *eine* selige, tränenreiche Stunde! Nichts! Nichts! Ich stehe wie vor einem Raritätenkasten und sehe die Männchen und Gäulchen vor mir herumrücken und frage mich oft, ob's nicht optischer Betrug ist. Ich spiele mit, vielmehr, ich werde gespielt wie eine Marionette und fasse manchmal meinen Nachbar an der hölzernen Hand und schaudere zurück.

Ein einzig weiblich Geschöpf hab ich hier gefunden. Eine Fräulein von B... Sie gleicht Ihnen, liebe Lotte, wenn man Ihnen gleichen kann. „Ei!" werden Sie sagen, „der Mensch legt sich auf niedliche Komplimente!" Ganz unwahr ist's nicht. Seit einiger Zeit bin ich sehr artig, weil ich doch nicht anders sein kann, habe viel Witz, und die Frauenzimmer sagen, es wüßte niemand so fein zu loben als ich („und zu lügen", setzen Sie hinzu, denn ohne das geht's nicht ab, verstehen Sie). Ich wollte von Fräulein B... reden! Sie hat viel Seele, die voll aus ihren blauen Augen hervorblickt, ihr Stand ist ihr zur Last, der keinen der Wünsche ihres Herzens befriedigt. Sie sehnt sich aus dem Getümmel, und wir verphantasieren manche Stunde in ländlichen Szenen von ungemischter Glückseligkeit, ach! und von Ihnen! Wie oft muß sie Ihnen huldigen. Muß nicht, tut's freiwillig, hört so gern von Ihnen, liebt Sie –

O säß ich zu Ihren Füßen in dem lieben, vertraulichen Zimmerchen, und unsere kleinen Lieben wälzten sich miteinander um mich herum, und wenn sie Ihnen zu laut würden, wollt ich sie mit einem schauerlichen Märchen um mich zur Ruhe versammlen. Die Sonne geht herrlich unter über der schneeglänzenden Gegend, der Sturm ist hinübergezogen. Und ich – muß mich wieder in meinen Käfig sperren. Adieu! Ist Albert bei Ihnen! Und wie –? Gott verzeihe mir diese Frage!

Am 17. Febr.

Ich fürchte, mein Gesandter und ich halten's nicht lange mehr zusammen aus. Der Mensch ist ganz und gar unerträglich. Seine Art, zu arbeiten und Geschäfte zu treiben, ist so lächerlich, daß ich mich nicht enthalten kann, ihm zu widersprechen und oft eine Sache nach meinem Kopfe und Art zu machen, das ihm denn, wie natürlich, niemals recht ist. Darüber hat er mich neulich bei Hofe verklagt, und der Minister gab mir einen zwar sanften Verweis, aber es war doch ein Verweis, und ich stand im Begriffe, meinen Abschied zu begehren, als ich einen Privatbrief* von ihm erhielt, einen Brief, vor dem ich mich niedergekniet und den hohen, edlen, weisen Sinn angebetet habe, wie er meine allzu große Empfindlichkeit zurechteweist, wie er meine überspannte Ideen von Würksamkeit, von Einfluß auf andre, von Durchdringen in Geschäften als jugendlichen guten Mut zwar ehrt, sie nicht auszurotten, nur zu mildern und dahin zu leiten sucht, wo sie ihr wahres Spiel haben, ihre kräftige Würkung tun können. Auch bin ich auf acht Tage gestärkt und in mir selbst einig geworden. Die Ruhe der Seele ist ein herrlich Ding und die

* Man hat aus Ehrfurcht für diesen trefflichen Mann gedachten Brief und einen andern, dessen weiter hinten erwähnt wird, dieser Sammlung entzogen, weil man nicht glaubte, solche Kühnheit durch den wärmsten Dank des Publikums entschuldigen zu können.

Freude an sich selbst, lieber Freund, wenn nur das Ding nicht ebenso zerbrechlich wäre, als es schön und kostbar ist.

Am 20. Febr.

Gott segne euch, meine Lieben, geb euch all die guten Tage, die er mir abzieht.

Ich danke dir, Albert, daß du mich betrogen hast, ich wartete auf Nachricht, wann euer Hochzeittag sein würde und hatte mir vorgenommen, feierlichst an demselben Lottens Schattenriß von der Wand zu nehmen und sie unter andere Papiere zu begraben. Nun seid ihr ein Paar, und ihr Bild ist noch hier! Nun, so soll's bleiben! Und warum nicht? Ich weiß, ich bin ja auch bei euch, bin, dir unbeschadet, in Lottens Herzen. Habe, ja ich habe den zweiten Platz drinne und will und muß ihn behalten. O ich würde rasend werden, wenn sie vergessen könnte – Albert, in dem Gedanken liegt eine Hölle. Albert! Leb wohl. Leb wohl, Engel des Himmels, leb wohl, Lotte!

Am 15. März

Ich hab einen Verdruß gehabt, der mich von hier wegtreiben wird, ich knirsche mit den Zähnen! Teufel! Er ist nicht zu ersetzen, und ihr seid doch allein schuld daran, die ihr mich sporntet und triebt und quältet, mich in einen Posten zu begeben, der nicht nach meinem Sinne war. Nun hab ich's, nun habt ihr's. Und daß du nicht wieder sagst, meine überspannten Ideen verdürben alles, so hast du hier, lieber Herr, eine Erzählung, plan und nett, wie ein Chronikenschreiber das aufzeichnen würde.

Der Graf von C. liebt mich, distinguiert mich, das ist bekannt, das hab ich dir schon hundertmal gesagt. Nun war ich bei ihm zu Tische gestern, eben an dem Tage, da abends die noble Gesellschaft von Herren und Frauen bei ihm zusammenkommt, an die ich nie gedacht hab, auch mir nie aufgefallen ist, daß wir Subalternen nicht hineingehören. Gut.

Ich speise beim Grafen, und nach Tische gehn wir im großen Saale auf und ab, ich rede mit ihm, mit dem Obrist B., der dazukommt, und so rückt die Stunde der Gesellschaft heran. Ich denke, Gott weiß, an nichts. Da tritt herein die übergnädige Dame von S... mit dero Herrn Gemahl und wohlausgebrüteten Gänslein Tochter mit der flachen Brust und niedlichem Schnürleib, machen en passant ihre hergebrachten hochadligen Augen und Naslöcher, und wie mir die Nation von Herzen zuwider ist, wollt ich eben mich empfehlen und wartete nur, bis der Graf vom garstigen Gewäsche frei wäre, als eben meine Fräulein B... hereintrat; da mir denn das Herz immer ein bißchen aufgeht, wenn ich sie sehe, blieb ich eben, stellte mich hinter ihren Stuhl und bemerkte erst nach einiger Zeit, daß sie mit weniger Offenheit als sonst, mit einiger Verlegenheit mit mir redte. Das fiel mir auf. Ist sie auch wie all das Volk, dacht ich, hol sie der Teufel! und war angestochen und wollte gehn, und doch blieb ich, weil ich intrigiert war, das Ding näher zu beleuchten. Über dem füllt sich die Gesellschaft. Der Baron F... mit der ganzen Garderobe von den Krönungszeiten Franz des Ersten her, der Hofrat R..., hier aber in qualitate Herr von R... genannt, mit seiner tauben Frau etc., den übel fournierten J... nicht zu vergessen, bei dessen Kleidung Reste des Altfränkischen mit dem neu'st Aufgebrachten kontrastieren etc., das kommt all, und ich rede mit einigen meiner Bekanntschaft, die alle sehr lakonisch sind, ich dachte – und gab nur auf meine B... acht. Ich merkte nicht, daß die Weiber am Ende des Saals sich in die Ohren pisperten, daß es auf die Männer zirkulierte, daß Frau von S... mit dem Grafen redte (das alles hat mir Fräulein B... nachher erzählt), bis endlich der Graf auf mich losging und mich in ein Fenster nahm. „Sie wissen", sagt' er, „unsere wunderbaren Verhältnisse, die Gesellschaft ist unzufrieden, merk ich, Sie hier zu sehn, ich wollte nicht um alles –" – „Ihro Exzellenz", fiel ich ein, „ich bitte tausendmal um Verzeihung, ich hätte eher dran denken sollen, und ich weiß, Sie verzeihen mir diese Inkonsequenz, ich wollte schon vorhin mich empfehlen, ein böser Genius hat mich zurückgehalten", setzte ich lächelnd hinzu, indem ich mich neigte. Der Graf drückte meine Hände mit einer Empfindung, die alles sagte. Ich machte der vornehmen Gesellschaft mein Kompliment, ging und setzte mich in ein Kabriolett und fuhr nach M..., dort vom Hügel die Sonne untergehen zu sehen und dabei in meinem Homer den herrlichen Gesang zu lesen, wie Ulyß von dem trefflichen Schweinhirten bewirtet wird. Das war all gut.

Des Abends komm ich zurück zu Tische. Es waren noch wenige in der Gaststube, die würfelten auf einer Ecke, hatten das Tischtuch zurückgeschlagen. Da kommt der ehrliche A... hinein, legt seinen Hut nieder, indem er mich ansieht, tritt zu mir und sagt leise: „Du hast Verdruß gehabt?" – „Ich?" sagt ich. „Der Graf hat dich aus der Gesellschaft gewiesen." – „Hol sie der Teufel", sagt ich, „mir war's lieb, daß ich in die freie Luft kam." – „Gut", sagt' er, „daß du's auf die leichte Achsel nimmst. Nur verdrießt mich's. Es ist schon überall herum." Da fing mir das Ding erst an zu wurmen. Alle, die zu Tische kamen und mich ansahen, dacht ich, die sehen dich darum an! Das fing an, mir böses Blut zu setzen.

Und da man nun heute gar, wo ich hintrete, mich bedauert, da ich höre, daß meine Neider nun triumphieren und sagen: da sähe man's, wo's mit den Übermütigen hinausging, die sich ihres bißchen Kopfs überhüben und glaubten, sich darum über alle Verhältnisse hinaussetzen zu dürfen, und was des Hundegeschwätzes mehr ist. Da möchte man sich ein Messer ins Herz bohren. Denn man rede von Selbständigkeit, was man will, den will ich sehn, der dulden kann, daß Schurken über ihn reden, wenn sie eine Prise über ihn haben. Wenn ihr Geschwätz leer ist, ach! da kann man sie leicht lassen.

Am 16. März

Es hetzt mich alles! Heut treff ich die Fräulein B... in der Allee. Ich konnte mich nicht enthalten, sie anzureden und ihr, sobald wir etwas entfernt von der Gesellschaft waren, meine Empfindlichkeit über ihr neuliches Betragen zu zeigen. „O Werther“, sagte sie mit einem innigen Tone, „konnten Sie meine Verwirrung so auslegen, da Sie mein Herz kennen. Was ich gelitten habe um Ihrentwillen von dem Augenblicke an, da ich in den Saal trat! Ich sah alles voraus, hundertmal saß mir's auf der Zunge, es Ihnen zu sagen, ich wußte, daß die von S... und T... mit ihren Männern eher aufbrechen würden, als in Ihrer Gesellschaft zu bleiben, ich wußte, daß der Graf es nicht mit ihnen verderben darf, und jetzo der Lärm.“ – „Wie, Fräulein?“ sagt ich und verbarg meinen Schrecken, denn alles, was Adelin mir ehgestern gesagt hatte, lief mir wie siedend Wasser durch die Adern in diesem Augenblicke. „Was hat mich's schon gekostet!“ sagte das süße Geschöpf, indem ihr die Tränen in den Augen stunden. Ich war nicht Herr mehr von mir selbst, war im Begriff, mich ihr zu Füßen zu werfen. „Erklären Sie sich“, ruft ich. Die Tränen liefen ihr die Wangen herunter, ich war außer mir. Sie trocknete sie ab, ohne sie verbergen zu wollen. „Meine Tante kennen Sie“, fing sie an; „sie war gegenwärtig und hat, o mit was für Augen hat sie das angesehn. Werther, ich habe gestern nacht ausgestanden, und heute früh eine Predigt über meinen Umgang mit Ihnen, und ich habe müssen zuhören Sie herabsetzen, erniedrigen und konnte und durfte Sie nur halb verteidigen.“

Jedes Wort, das sie sprach, ging mir wie Schwerter durchs Herz. Sie fühlte nicht, welche Barmherzigkeit es gewesen wäre, mir das alles zu verschweigen, und nun fügte sie noch all dazu, was weiter würde geträtscht werden, was die schlechten Kerls alle darüber triumphieren würden. Wie man nunmehro meinen Übermut und Geringschätzung andrer, das sie mir schon lange vorwerfen, gestraft, erniedrigt ausschreien würde. Das alles, Wilhelm, von ihr zu hören mit der Stimme der wahrsten Teilnehmung. Ich war zerstört und bin noch wütend in mir. Ich wollte, daß sich einer unterstünde, mir's vorzuwerfen, daß ich ihm den Degen durch den Leib stoßen könnte! Wenn ich Blut sähe, würde mir's besser werden. Ach ich hab hundertmal ein Messer ergriffen, um diesem gedrängten Herzen Luft zu machen. Man erzählt von einer edlen Art Pferde, die, wenn sie schröcklich erhitzt und aufgejagt sind, sich selbst aus Instinkt eine Ader aufbeißen, um sich zum Atem zu helfen. So ist mir's oft, ich möchte mir eine Ader öffnen, die mir die ewige Freiheit schaffte.

Am 24. März

Ich habe meine Dimission bei Hofe verlangt und werde sie, hoff ich, erhalten, und ihr werdet mir verzeihen, daß ich nicht erst Permission dazu bei euch geholt habe. Ich mußte nun einmal fort, und was ihr zu sagen hattet, um mir das Bleiben einzureden, weiß ich all, und also – Bring das meiner Mutter in einem Säftchen bei, ich kann mir selbst nicht helfen, also mag sie sich's gefallen lassen, wenn ich ihr auch nicht helfen kann. Freilich muß es ihr weh tun. Den schönen Lauf, den ihr Sohn grad zum Geheimderat und Gesandten ansetzte, so auf einmal Halte zu sehen, und rückwärts mit dem Tierchen in Stall. Macht nun draus, was ihr wollt, und kombiniert die mögliche Fälle, unter denen ich hätte bleiben können und sollen. Genug, ich gehe. Und damit ihr wißt, wo ich hinkomme, so ist hier der Fürst***, der viel Geschmack an meiner Gesellschaft findet, der hat mich gebeten, da er von meiner Absicht hörte, mit ihm auf seine Güter zu gehen und den schönen Frühling da zuzubringen. Ich soll ganz mir selbst gelassen sein, hat er mir versprochen, und da wir uns zusammen bis auf einen gewissen Punkt verstehn, so will ich's denn auf gut Glück wagen und mit ihm gehn.

Den 19. April

Zur Nachricht

Danke für deine beiden Briefe. Ich antwortete nicht, weil ich diesen Brief liegen ließ, bis mein Abschied von Hofe da wäre, weil ich fürchtete, meine Mutter möchte sich an den Minister wenden und mir mein Vorhaben erschweren. Nun aber ist's geschehen, mein Abschied ist da. Ich mag euch nicht sagen, wie ungern man mir ihn gegeben hat und was mir der Minister schreibt, ihr würdet in neue Lamentationen ausbrechen. Der Erbprinz hat mir zum Abschiede fünfundzwanzig Dukaten geschickt, mit einem Wort, das mich bis zu Tränen gerührt hat. Also braucht die Mutter mir das Geld nicht zu schicken, um das ich neulich schrieb.

Am 5. Mai

Morgen geh ich von hier ab, und weil mein Geburtsort nur sechs Meilen vom Wege liegt, so will ich den auch wiedersehen, will mich der alten, glücklich verträumten Tage erinnern. Zu ebendem Tore will ich hineingehn, aus dem meine Mutter mit mir herausfuhr, als sie nach dem Tode meines Vaters den lieben, vertraulichen Ort verließ, um sich in ihre unerträgliche Stadt einzusperren. Adieu, Wilhelm, du sollst von meinem Zuge hören.

Am 9. Mai

Ich habe die Wallfahrt nach meiner Heimat mit aller Andacht eines Pilgrims vollendet, und manche unerwartete Gefühle haben mich ergriffen. An der großen Linde, die eine Viertelstunde vor der Stadt nach S... zu steht, ließ ich halten, stieg aus und hieß den Postillon fortfahren, um zu Fuße jede Erinnerung ganz neu, lebhaft nach meinem Herzen zu kosten. Da stand ich nun unter der Linde, die ehedessen als Knabe das Ziel und die Grenze meiner Spaziergänge gewesen. Wie anders! Damals sehnt ich mich in glücklicher Unwissenheit hinaus in die unbekannte Welt, wo ich für mein Herz alle die Nahrung, alle den Genuß hoffte, dessen Ermangeln ich so oft in meinem Busen fühlte. Jetzt kam ich zurück aus der weiten Welt – O mein Freund, mit wieviel fehlgeschlagenen Hoffnungen, mit wieviel zerstörten Planen! – Ich sah das Gebürge vor mir liegen, das so tausendmal der Gegenstand meiner Wünsche gewesen. Stundenlang konnte ich hier sitzen und mich hinübersehnen, mit inniger Seele mich in denen Wäldern, denen Tälern verlieren, die sich meinen Augen so freundlich dämmernd darstellten – und wenn ich denn um die bestimmte Zeit wieder zurückmußte, mit welchem Widerwillen verließ ich nicht den lieben Platz! Ich kam der Stadt näher, alle alte bekannte Gartenhäuschen wurden von mir gegrüßt, die neuen waren mir zuwider, so auch alle Veränderungen, die man sonst vorgenommen hatte. Ich trat zum Tore hinein und fand mich doch gleich und ganz wieder. Lieber, ich mag nicht ins Detail gehn, so reizend, als es mir war, so einförmig würde es in der Erzählung werden. Ich hatte beschlossen, auf dem Markte zu wohnen, gleich neben unserm alten Hause. Im Hingehen bemerkte ich, daß die Schulstube, wo ein ehrlich altes Weib unsere Kindheit zusammengepfercht hatte, in einen Kram verwandelt war. Ich erinnerte mich der Unruhe, der Tränen, der Dumpfheit des Sinnes, der Herzensangst, die ich in dem Loche ausgestanden hatte – Ich tat keinen Schritt, der nicht merkwürdig war. Ein Pilger im heiligen Lande trifft nicht so viel Stätten religioser Erinnerung, und seine Seele ist schwerlich so voll heiliger Bewegung. – Noch eins für tausend. Ich ging den Fluß hinab, bis an einen gewissen Hof, das war sonst auch mein Weg, und die Plätzchen, da wir Knaben uns übten, die meisten Sprünge der flachen Steine im Wasser hervorzubringen. Ich erinnere mich so lebhaft, wenn ich manchmal stand und dem Wasser nachsah, mit wie wunderbaren Ahndungen ich das verfolgte, wie abenteuerlich ich mir die Gegenden vorstellte, wo es nun hinflösse, und wie ich da so bald Grenzen meiner Vorstellungskraft fand, und doch mußte das weitergehn, immer weiter, bis ich mich ganz in dem Anschauen einer unsichtbaren Ferne verlor. Siehe, mein Lieber, das ist doch ebendas Gefühl der herrlichen Altväter! Wenn Ulyß von dem ungemessenen Meere und von der unendlichen Erde spricht, ist das nicht wahrer, menschlicher, inniger, als wenn jetzo jeder Schulknabe sich wunder weise dünkt, wenn er nachsagen kann, daß sie rund sei.

Nun bin ich hier auf dem fürstlichen Jagdschlosse. Es läßt

sich noch ganz wohl mit dem Herrn leben, er ist ganz wahr und einfach. Was mir noch manchmal leid tut, ist, daß er oft über Sachen redt, die er nur gehört und gelesen hat, und zwar aus ebendem Gesichtspunkte, wie sie ihm der andere darstellen mochte.

Auch schätzt er meinen Verstand und Talente mehr als dies Herz, das doch mein einziger Stolz ist, das ganz allein die Quelle von allem ist, aller Kraft, aller Seligkeit und alles Elends. Ach was ich weiß, kann jeder wissen. – Mein Herz hab ich allein.

Am 25. Mai

Ich hatte etwas im Kopfe, davon ich euch nichts sagen wollte, bis es ausgeführt wäre, jetzt, da nichts draus wird, ist's ebenso gut. Ich wollte in Krieg! Das hat mir lang am Herzen gelegen. Vornehmlich darum bin ich dem Fürsten hieher gefolgt, der General in ***schen Diensten ist. Auf einem Spaziergange entdeckte ich ihm mein Vorhaben, er widerriet mir's, und es müßte bei mir mehr Leidenschaft als Grille gewesen sein, wenn ich seinen Gründen nicht hätte Gehör geben wollen.

Am 11. Juni

Sag, was du willst, ich kann nicht länger bleiben. Was soll ich hier? Die Zeit wird mir lang. Der Fürst hält mich wie seinesgleichen gut, und doch bin ich nicht in meiner Lage. Und dann, wir haben im Grunde nichts Gemeines miteinander. Er ist ein Mann von Verstande, aber von ganz gemeinem Verstande, sein Umgang unterhält mich nicht mehr, als wenn ich ein wohlgeschrieben Buch lese. Noch acht Tage bleib ich, und dann zieh ich wieder in der Irre herum. Das Beste, was ich hier getan habe, ist mein Zeichnen. Und der Fürst fühlt in der Kunst und würde noch stärker fühlen, wenn er nicht durch das garstige wissenschaftliche Wesen und durch die gewöhnliche Terminologie eingeschränkt wäre. Manchmal knirsch ich mit den Zähnen, wenn ich ihn mit warmer Imagination so an Natur und Kunst herumführe und er's auf einmal recht gut zu machen denkt, wenn er mit einem gestempelten Kunstworte dreintölpelt.

Am 18. Juni

Wo ich hin will? Das laß dir im Vertrauen eröffnen. Vierzehn Tage muß ich doch noch hier bleiben, und dann hab ich mir weisgemacht, daß ich die Bergwerke im ***schen besuchen wollte, ist aber im Grunde nichts dran, ich will nur Lotten wieder näher, das ist alles. Und ich lache über mein eigen Herz – und tu ihm seinen Willen.

Am 29. Juli

Nein, es ist gut! Es ist alles gut! Ich ihr Mann! O Gott, der du mich machtest, wenn du mir diese Seligkeit bereitet hättest, mein ganzes Leben sollte ein anhaltendes Gebet sein. Ich will nicht rechten, und verzeih mir diese Tränen, verzeih mir meine vergebliche Wünsche. – Sie meine Frau! Wenn ich das liebste Geschöpf unter der Sonne in meine Arme geschlossen hätte – Es geht mir ein Schauder durch den ganzen Körper, Wilhelm, wenn Albert sie um den schlanken Leib faßt.

Und, darf ich's sagen? Warum nicht, Wilhelm, sie wäre mit mir glücklicher geworden als mit ihm! O er ist nicht der Mensch, die Wünsche dieses Herzens alle zu füllen. Ein gewisser Mangel an Fühlbarkeit, ein Mangel – nimm's, wie du willst, daß sein Herz nicht sympathetisch schlägt bei – oh! – bei der Stelle eines lieben Buchs, wo mein Herz und Lottens in einem zusammentreffen. In hundert andern Vorfällen, wenn's kommt, daß unsere Empfindungen über eine Handlung eines dritten laut werden. Lieber Wilhelm! – Zwar er liebt sie von ganzer Seele, und so eine Liebe, was verdient die nicht –

Ein unerträglicher Mensch hat mich unterbrochen. Meine Tränen sind getrocknet. Ich bin zerstreut. Adieu, Lieber.

Am 4. Aug.

Es geht mir nicht allein so. Alle Menschen werden in ihren Hoffnungen getäuscht, in ihren Erwartungen betrogen. Ich besuchte mein gutes Weib unter der Linde. Der ältste Bub lief mir entgegen, sein Freudengeschrei führte die Mutter herbei, die sehr niedergeschlagen aussah. Ihr erstes Wort war: „Guter Herr! ach, mein Hans ist mir gestorben“ – es war der jüngste ihrer Knaben, ich war stille – „und mein Mann“, sagte sie, „ist aus der Schweiz zurück und hat nichts mitgebracht, und ohne gute Leute hätte er sich herausbetteln müssen. Er hatte das Fieber kriegt unterwegs.“ Ich konnte ihr nichts sagen und schenkte dem Kleinen was, sie bat mich, einige Äpfel anzunehmen, das ich tat und den Ort des traurigen Andenkens verließ.

Am 21. Aug.

Wie man eine Hand umwendet, ist's anders mit mir. Manchmal will so ein freudiger Blick des Lebens wieder aufdämmern, ach nur für einen Augenblick! Wenn ich mich so in Träumen verliere, kann ich mich des Gedankens nicht erwehren: Wie, wenn Albert stürbe! Du würdest! ja sie würde – und dann lauf ich dem Hirngespinste nach, bis es mich an Abgründe führt, vor denen ich zurückbebe.

Wenn ich so dem Tore hinausgehe, den Weg, den ich zum erstenmal fuhr, Lotten zum Tanze zu holen, wie war das all so anders! Alles, alles ist vorübergegangen! Kein Wink der vorigen Welt, kein Pulsschlag meines damaligen Gefühls. Mir ist's, wie's einem Geiste sein müßte, der in das versengte, verstörte Schloß zurückkehrte, das er als blühender Fürst einst gebaut und, mit allen Gaben der Herrlichkeit ausgestattet, sterbend seinem geliebten Sohne hoffnungsvoll hinterlassen.

Am 3. September

Ich begreife manchmal nicht, wie sie ein anderer liebhaben kann, liebhaben darf, da ich sie so ganz allein, so innig, so voll liebe, nichts anders kenne noch weiß noch habe als sie.

Am 6. Sept.

Es hat schwer gehalten, bis ich mich entschloß, meinen blauen einfachen Frack, in dem ich mit Lotten zum erstenmal tanzte, abzulegen, er ward aber zuletzt gar unscheinbar. Auch hab ich mir einen machen lassen, ganz wie den vorigen, Kragen und Aufschlag und auch wieder so gelbe West und Hosen dazu.

Ganz will's es doch nicht tun. Ich weiß nicht – Ich denke, mit der Zeit soll mir der auch lieber werden.

Am 15. Sept.

Man möchte sich dem Teufel ergeben, Wilhelm, über all die Hunde, die Gott auf Erden duldet, ohne Sinn und Gefühl an dem wenigen, was drauf noch was wert ist. Du kennst die Nußbäume, unter denen ich bei dem ehrlichen Pfarrer zu St... mit Lotten gesessen, die herrlichen Nußbäume, die mich, Gott weiß, immer mit dem größten Seelenvergnügen füllten. Wie vertraulich sie den Pfarrhof machten, wie kühl, und wie herrlich die Äste waren. Und die Erinnerung bis zu den guten Kerls von Pfarrers, die sie vor soviel Jahren pflanzten. Der Schulmeister hat uns den einen Namen oft genannt, den er von seinem Großvater gehört hatte, und so ein braver Mann soll er gewesen sein, und sein Andenken war mir immer heilig unter den Bäumen. Ich sage dir, dem Schulmeister standen die Tränen in den Augen, da wir gestern davon redeten, daß sie abgehauen worden – Abgehauen! Ich möchte rasend werden, ich könnte den Hund ermorden, der den ersten Hieb dran tat. Ich, der ich könnte mich vertrauren, wenn so ein paar Bäume in meinem Hofe stünden und einer davon stürbe vor Alter ab, ich muß so zusehn. Lieber Schatz, eins ist doch dabei! Was Menschengefühl ist! Das ganze Dorf murrt, und ich hoffe, die Frau Pfarrern soll's an Butter und Eiern und übrigem Zutrauen spüren, was für eine Wunde sie ihrem Orte gegeben hat. Denn sie ist's, die Frau des neuen Pfarrers (unser alter ist auch gestorben), ein hageres, kränkliches Tier, das sehr Ursache hat, an der Welt keinen Anteil zu nehmen, denn niemand nimmt Anteil an ihr. Eine Fratze, die sich abgibt, gelehrt zu sein, sich in die Untersuchung des Kanons meliert, gar viel an der neumodischen, moralisch-kritischen Reformation des Christentums arbeitet und über Lavaters Schwärmereien die Achseln zuckt, eine ganz zerrüttete Gesundheit hat und auf Gottes Erdboden deswegen keine Freude. So ein Ding war's auch allein, um meine Nußbäume abzuhauen. Siehst du, ich komme nicht zu mir! Stelle dir vor, die abfallenden Blätter machen ihr den Hof unrein und dumpfig, die Bäume nehmen ihr das Tageslicht, und wenn die Nüsse reif sind, so werfen die Knaben mit Steinen darnach, und das fällt ihr auf die Nerven, und das stört sie in ihren tiefen Überlegungen, wenn sie Kennikot, Semler und Michaelis gegeneinander abwiegt. Da ich die Leute im Dorfe, besonders die Alten, so unzufrieden sah, sagt ich: „Warum habt ihr's gelitten?" – „Wenn der Schulz will, hierzulande", sagten sie, „was kann man machen." Aber eins ist recht geschehn, der Schulz und der Pfarrer, der doch auch von seiner Frauen Grillen, die ihm so die Suppen nicht fett machen, etwas haben wollte, dachten's miteinander zu teilen, da erfuhr's die Kammer und sagte: „Hier herein!" und verkaufte die Bäume an den Meistbietenden. Sie liegen! O wenn ich Fürst wäre! Ich wollt die Pfarrern, den Schulzen und die Kammer – Fürst! – Ja wenn ich Fürst wäre, was kümmerten mich die Bäume in meinem Lande.

Am 10. Oktober

Wenn ich nur ihre schwarzen Augen sehe, ist mir's schon wohl! Sieh, und was mich verdrüßt, ist, daß Albert nicht so beglückt zu sein scheinet, als er – hoffte – als ich – zu sein glaubte – wenn – Ich mache nicht gern Gedankenstriche, aber hier kann ich mich nicht anders ausdrucken – und mich dünkt, deutlich genug.

Am 12. Oktober

Ossian hat in meinem Herzen den Homer verdrängt. Welch eine Welt, in die der Herrliche mich führt. Zu wandern über die Heide, umsaust vom Sturmwinde, der in dampfenden Nebeln die Geister der Väter im dämmernden Lichte des Mondes hinführt. Zu hören vom Gebürge her, im Gebrülle des Waldstroms, halb verwehtes Ächzen der Geister aus ihren Höhlen und die Wehklagen des zu Tode gejammerten Mädchens um die vier moosbedeckten, grasbewachsnen Steine des Edelgefallnen, ihres Geliebten. Wenn ich ihn denn finde, den wandelnden grauen Barden, der auf der weiten Heide die Fußtapfen seiner Väter sucht und ach! ihre Grabsteine findet. Und dann jammernd nach dem lieben Sterne des Abends hinblickt, der sich ins rollende Meer verbirgt, und die Zeiten der Vergangenheit in des Helden Seele lebendig werden, da noch der freundliche Strahl den Gefahren der Tapfern leuchtete und der Mond ihr bekränztes, siegrückkehrendes Schiff beschien. Wenn ich so den tiefen Kummer auf seiner Stirne lese, so den letzten verlaßnen Herrlichen in aller Ermattung dem Grabe zuwanken sehe, wie er immer neue, schmerzlich glühende Freuden in der kraftlosen Gegenwart der Schatten seiner Abgeschiedenen einsaugt und nach der kalten Erde, dem hohen, wehenden Grase niedersieht und ausruft: „Der Wanderer wird kommen, kommen, der mich kannte in meiner Schönheit, und fragen: ‚Wo ist der Sänger, Fingals trefflicher Sohn?‘ Sein Fußtritt geht über mein Grab hin, und er fragt vergebens nach mir auf der Erde.“ O Freund! ich möchte gleich einem edlen Waffenträger das Schwert ziehen und meinen Fürsten von der zückenden Qual des langsam absterbenden Lebens auf einmal befreien und dem befreiten Halbgott meine Seele nachsenden.

Am 19. Oktober

Ach diese Lücke! Diese entsetzliche Lücke, die ich hier in meinem Busen fühle! Ich denke oft: wenn du sie nur einmal, nur einmal an dieses Herz drücken könntest! All diese Lücke würde ausgefüllt sein.

Am 26. Oktober

Ja, es wird mir gewiß, Lieber! gewiß und immer gewisser, daß an dem Dasein eines Geschöpfs so wenig gelegen ist, ganz wenig. Es kam eine Freundin zu Lotten, und ich ging herein ins Nebenzimmer, ein Buch zu nehmen, und konnte nicht lesen, und dann nahm ich eine Feder, zu schreiben. Ich hörte sie leise reden, sie erzählten einander insofern unbedeutende Sachen, Stadtneuigkeiten: wie diese heiratet, wie jene krank, sehr krank ist. „Sie hat einen trocknen Husten, die Knochen stehn ihr zum Gesichte heraus, und kriegt Ohnmachten, ich gebe keinen Kreuzer für ihr Leben", sagte die eine. „Der N. N. ist auch so übel dran", sagte Lotte. „Er ist schon geschwollen", sagte die andre. Und meine lebhafte Einbildungskraft versetzte mich ans Bette dieser Armen, ich sah sie, mit welchem Widerwillen sie dem Leben den Rücken wandten, wie sie – Wilhelm, und meine Weibchens redeten davon, wie man eben davon redt, daß ein Fremder stirbt. – Und wenn ich mich umsehe und seh das Zimmer an und rings um mich Lottens Kleider, hier ihre Ohrringe auf dem Tischchen und Alberts Skripturen und diese Möbels, denen ich nun so befreundet bin, sogar diesem Dintefaß, und denke: Sieh, was du nun diesem Hause bist! Alles in allem. Deine Freunde ehren dich! Du machst oft ihre Freude, und deinem Herzen scheint's, als wenn es ohne sie nicht sein könnte, und doch – wenn du nun gingst? wenn du aus diesem Kreise schiedest, würden sie? wie lange würden sie die Lücke fühlen, die dein Verlust in ihr Schicksal reißt? wie lang? – O so vergänglich ist der Mensch, daß er auch da, wo er seines Daseins eigentliche Gewißheit hat, da, wo er den einzigen wahren Eindruck seiner Gegenwart macht, in dem Andenken, in der Seele seiner Lieben, daß er auch da verlöschen, verschwinden muß, und das – so bald!

Am 27. Oktober

Ich möchte mir oft die Brust zerreißen und das Gehirn einstoßen, daß man einander so wenig sein kann. Ach die Liebe und Freude und Wärme und Wonne, die ich nicht hinzubringe, wird mir der andre nicht geben, und mit einem ganzen Herzen voll Seligkeit werd ich den andern nicht beglücken, der kalt und kraftlos vor mir steht.

Am 30. Oktober

Wenn ich nicht schon hundertmal auf dem Punkte gestanden bin, ihr um den Hals zu fallen. Weiß der große Gott, wie einem das tut, soviel Liebenswürdigkeit vor sich herumkreuzen zu sehn und nicht zugreifen zu dürfen. Und das Zugreifen ist doch der natürlichste Trieb der Menschheit. Greifen die Kinder nicht nach allem, was ihnen in Sinn fällt? Und ich?

Am 3. November

Weiß Gott, ich lege mich so oft zu Bette mit dem Wunsche, ja manchmal mit der Hoffnung, nicht wieder zu erwachen, und morgens schlag ich die Augen auf, sehe die Sonne wieder und bin elend. O daß ich launisch sein könnte, könnte die Schuld aufs Wetter, auf einen Dritten, auf eine fehlgeschlagene Unternehmung schieben; so würde die unerträgliche Last des Unwillens doch nur halb auf mir ruhen. Weh mir, ich fühle zu wahr, daß an mir allein alle Schuld liegt, – nicht Schuld! Genug, daß in mir die Quelle alles Elendes verborgen ist, wie es ehemals die Quelle aller Seligkeiten war. Bin ich nicht noch ebenderselbe, der ehemals in aller Fülle der Empfindung herumschwebte, dem auf jedem Tritte ein Paradies folgte, der ein Herz hatte, eine ganze Welt liebevoll zu umfassen. Und das Herz ist jetzo tot, aus ihm fließen keine Entzückungen mehr, meine Augen sind trocken, und meine Sinnen, die nicht mehr von erquickenden Tränen gelabt werden, ziehen ängstlich meine Stirne zusammen. Ich leide viel, denn ich habe verloren, was meines Lebens einzige Wonne war, die heilige, belebende Kraft, mit der ich Welten um mich schuf. Sie ist dahin! – Wenn ich zu meinem Fenster hinaus an den fernen Hügel sehe, wie die Morgensonne über ihn her den Nebel durchbricht und den stillen Wiesengrund bescheint und der sanfte Fluß zwischen seinen entblätterten Weiden zu mir herschlängelt, o wenn da diese herrliche Natur so starr vor mir steht wie ein lackiert Bildchen und all die Wonne keinen Tropfen Seligkeit aus meinem Herzen herauf in das Gehirn pumpen kann und der ganze Kerl vor Gottes Angesicht steht wie ein versiegter Brunn', wie ein verlechter Eimer! Ich habe mich so oft auf den Boden geworfen und Gott um Tränen gebeten, wie ein Ackersmann um Regen, wenn der Himmel ehern über ihm ist und um ihn die Erde verdürstet.

Aber, ach ich fühl's! Gott gibt Regen und Sonnenschein nicht unserm ungestümen Bitten, und jene Zeiten, deren Andenken mich quält, warum waren sie so selig? als weil ich mit Geduld seinen Geist erwartete und die Wonne, die er über mich ausgoß, mit ganzem, innig dankbarem Herzen aufnahm.

Am 8. Nov.

Sie hat mir meine Exzesse vorgeworfen! Ach, mit so viel Liebenswürdigkeit! Meine Exzesse, daß ich mich manchmal von einem Glas Wein verleiten lasse, eine Bouteille zu trinken. „Tun Sie's nicht!" sagte sie, „denken Sie an Lotten!" – „Denken!" sagt ich, „brauchen Sie mir das zu heißen? Ich denke! – Ich denke nicht! Sie sind immer vor meiner Seelen. Heut saß ich an dem Flecke, wo Sie neulich aus der Kutsche stiegen –" Sie redte was anders, um mich nicht tiefer in den Text kommen zu lassen. Bester, ich bin dahin! Sie kann mit mir machen, was sie will.

Am 15. Nov.

Ich danke dir, Wilhelm, für deinen herzlichen Anteil, für deinen wohlmeinenden Rat und bitte dich, ruhig zu sein. Laß mich ausdulden, ich habe bei all meiner Müdseligkeit noch Kraft genug durchzusetzen. Ich ehre die Religion, das weißt du, ich fühle, daß sie manchem Ermatteten Stab, manchem Verschmachtenden Erquickung ist. Nur – kann sie denn, muß sie denn das einem jeden sein? Wenn du die große Welt ansiehst, so siehst du Tausende, denen sie's nicht war, Tausende, denen sie's nicht sein wird, gepredigt oder ungepredigt, und muß sie mir's denn sein? Sagt nicht selbst der Sohn Gottes, daß die um ihn sein würden, die ihm der Vater gegeben hat. Wenn ich ihm nun nicht gegeben bin! Wenn mich nun der Vater für sich behalten will, wie mir mein Herz sagt! Ich bitte dich, lege das nicht falsch aus, sieh nicht etwa Spott in diesen unschuldigen Worten, es ist meine ganze Seele, die ich dir vorlege. Sonst wollt ich lieber, ich hätte geschwiegen, wie ich denn über all das, wovon jedermann so wenig weiß als ich, nicht gern ein Wort verliere. Was ist's anders als Menschenschicksal, sein Maß auszuleiden, seinen Becher auszutrinken! – Und ward der Kelch dem Gott vom Himmel auf seiner Menschenlippe zu bitter, warum soll ich großtun und mich stellen, als schmeckte er mir süße. Und warum sollte ich mich schämen in dem schröcklichen Augenblicke, da mein ganzes Wesen zwischen Sein und Nichtsein zittert, da die Vergangenheit wie ein Blitz über dem finstern Abgrunde der Zukunft leuchtet und alles um mich her versinkt und mit mir die Welt untergeht. – Ist es da nicht die Stimme der ganz in sich gedrängten, sich selbst ermangelnden und unaufhaltsam hinabstürzenden Kreatur, in den innern Tiefen ihrer vergebens aufarbeitenden Kräfte zu knirschen: Mein Gott! Mein Gott! warum hast du mich verlassen? Und sollt ich mich des Ausdrucks schämen, sollte mir's vor dem Augenblicke bange sein, da ihm der nicht entging, der die Himmel zusammenrollt wie ein Tuch.

Am 21. Nov.

Sie sieht nicht, sie fühlt nicht, daß sie einen Gift bereitet, der mich und sie zugrunde richten wird. Und ich mit voller Wollust schlurfe den Becher aus, den sie mir zu meinem

Verderben reicht. Was soll der gütige Blick, mit dem sie mich oft – oft? – nein, nicht oft, aber doch manchmal ansieht, die Gefälligkeit, womit sie einen unwillkürlichen Ausdruck meines Gefühls aufnimmt, das Mitleiden mit meiner Duldung, das sich auf ihrer Stirne zeichnet.

Gestern, als ich wegging, reichte sie mir die Hand und sagte: „Adieu, lieber Werther!" Lieber Werther! Es war das erstemal, daß sie mich Lieber hieß, und mir ging's durch Mark und Bein. Ich hab mir's hundertmal wiederholt, und gestern nacht, da ich ins Bette gehen wollte und mit mir selbst allerlei schwatzte, sag ich so auf einmal: „Gute Nacht, lieber Werther!" Und mußte hernach selbst über mich lachen.

Am 24. Nov.

Sie fühlt, was ich dulde. Heut ist mir ihr Blick tief durchs Herz gedrungen. Ich fand sie allein. Ich sagte nichts, und sie sah mich an. Und ich sah nicht mehr in ihr die liebliche Schönheit, nicht mehr das Leuchten des trefflichen Geistes; das war all vor meinen Augen verschwunden. Ein weit herrlicherer Blick würkte auf mich, voll Ausdruck des innigsten Anteils, des süß'ten Mitleidens. Warum durft ich mich nicht ihr zu Füßen werfen! warum durft ich nicht an ihrem Halse mit tausend Küssen antworten! – Sie nahm ihre Zuflucht zum Klaviere und hauchte mit süßer, leiser Stimme harmonische Laute zu ihrem Spiele. Nie hab ich ihre Lippen so reizend gesehn, es war, als wenn sie sich lechzend öffneten, jene süße Töne in sich zu schlürfen, die aus dem Instrumente hervorquollen, und nur der heimliche Widerschall aus dem süßen Munde zurückklänge – Ja, wenn ich dir das so sagen könnte! Ich widerstund nicht länger, neigte mich und schwur: Nie will ich's wagen, einen Kuß euch einzudrücken, Lippen, auf denen die Geister des Himmels schweben – Und doch – ich will – Ha! siehst du, das steht wie eine Scheidewand vor meiner Seelen – diese Seligkeit – und dann untergegangen, die Sünde abzubüßen – Sünde?

Am 30. Nov.

Ich soll, ich soll nicht zu mir selbst kommen, wo ich hintrete, begegnet mir eine Erscheinung, die mich aus aller Fassung bringt. Heut! O Schicksal! O Menschheit!

Ich gehe an dem Wasser hin in der Mittagsstunde, ich hatte keine Lust zu essen. Alles war so öde, ein naßkalter Abendwind blies vom Berge, und die grauen Regenwolken zogen das Tal hinein. Von ferne seh ich einen Menschen in einem grünen, schlechten Rocke, der zwischen den Felsen herumkrabbelte und Kräuter zu suchen schien. Als ich näher zu ihm kam und er sich auf das Geräusch, das ich machte, herumdrehte, sah ich eine gar interessante Physiognomie, darin eine stille Trauer den Hauptzug machte, die aber sonst nichts als einen graden, guten Sinn ausdrückte, seine schwarzen Haare waren mit Nadeln in zwei Rollen gesteckt und die übrigen in einen starken Zopf geflochten, der ihm den Rücken herunterhing. Da mir seine Kleidung einen Menschen von geringem Stande zu bezeichnen schien, glaubt ich, er würde es nicht übelnehmen, wenn ich auf seine Beschäftigung aufmerksam wäre, und daher fragte ich ihn, was er suchte. „Ich suche", antwortete er mit einem tiefen Seufzer, „Blumen – und finde keine." – „Das ist auch die Jahrszeit nicht", sagt ich lächelnd. „Es gibt so viel Blumen", sagt' er, indem er zu mir herunterkam. „In meinem Garten sind Rosen und Jelängerjelieber zweierlei Sorten, eine hat mir mein Vater gegeben, sie wachsen wie's Unkraut, ich suche schon zwei Tage darnach und kann sie nicht finden. Da haußen sind auch immer Blumen, gelbe und blaue und rote, und das Tausendgüldenkraut hat ein schön Blümchen. Keines kann ich finden." Ich merkte was Unheimliches, und drum fragte ich durch einen Umweg: „Was will Er denn mit den Blumen?" Ein wunderbares, zuckendes Lächlen verzog sein Gesicht. „Wenn Er mich nicht verraten will", sagt' er, indem er den Finger auf den Mund drückte, „ich habe meinem Schatze einen Strauß versprochen." – „Das ist brav", sagt ich. „Oh", sagt' er, „sie hat viel andre Sachen, sie ist reich." –

„Und doch hat sie Seinen Strauß lieb“, versetzt ich. „Oh!“ fuhr er fort, „sie hat Juwelen und eine Krone.“ – „Wie heißt sie denn?“ – „Wenn mich die Generalstaaten bezahlen wollten!“ versetzte er, „ich wär ein anderer Mensch! Ja, es war einmal eine Zeit, da mir’s so wohl war. Jetzt ist’s aus mit mir, ich bin nun –“ Ein nasser Blick zum Himmel drückte alles aus. „Er war also glücklich?“ fragt ich. „Ach ich wollt, ich wäre wieder so!“ sagt’ er, „da war mir’s so wohl, so lustig, so leicht wie ein Fisch im Wasser!“ – „Heinrich!“ rufte eine alte Frau, die den Weg herkam. „Heinrich, wo stickst du. Wir haben dich überall gesucht. Komm zum Essen.“ – „Ist das Euer Sohn?“ fragt ich, zu ihr tretend. „Wohl, mein armer Sohn“, versetzte sie. „Gott hat mir ein schweres Kreuz aufgelegt.“ – „Wie lang ist er so?“ fragt ich. „So stille“, sagte sie, „ist er nun ein halb Jahr. Gott sei Dank, daß es nur so weit ist. Vorher war er ein ganz Jahr rasend, da hat er an Ketten im Tollhause gelegen. Jetzt tut er niemand nichts, nur hat er immer mit Königen und Kaisern zu tun. Es war ein so guter, stiller Mensch, der mich ernähren half, seine schöne Hand schrieb, und auf einmal wird er tiefsinnig, fällt in ein hitzig Fieber, daraus in Raserei, und nun ist er, wie Sie ihn sehen. Wenn ich Ihm erzählen sollt, Herr –“ Ich unterbrach ihren Strom von Erzählungen mit der Frage, was denn das für eine Zeit wäre, von der er so rühmte, daß er so glücklich, so wohl darin gewesen wäre. „Der törige Mensch“, rief sie mit mitleidigem Lächlen, „da meint er die Zeit, da er von sich war, das rühmt er immer! Das ist die Zeit, da er im Tollhause war, wo er nichts von sich wußte –“ Das fiel mir auf wie ein Donnerschlag, ich drückte ihr ein Stück Geld in die Hand und verließ sie eilend.

„Da du glücklich warst!“ rief ich aus, schnell vor mich hin nach der Stadt zu gehend. „Da dir’s wohl war wie einem Fisch im Wasser! – Gott im Himmel! Hast du das zum Schicksal der Menschen gemacht, daß sie nicht glücklich sind, als eh sie zu ihrem Verstande kommen und wenn sie ihn wieder verlieren! Elender! und auch wie beneid ich deinen Trübsinn, die Verwirrung deiner Sinne, in der du verschmachtest! Du gehst hoffnungsvoll aus, deiner Königin Blumen zu pflücken – im Winter – und traurest, da du keine findest, und begreifst nicht, warum du keine finden kannst. Und ich – und ich gehe ohne Hoffnung, ohne Zweck heraus und kehr wieder heim, wie ich gekommen bin. – Du wähnst, welcher Mensch du sein würdest, wenn die Generalstaaten dich bezahlten. Seliges Geschöpf, das den Mangel seiner Glückseligkeit einer irdischen Hindernis zuschreiben kann. – Du fühlst nicht! Du fühlst nicht! daß in deinem zerstörten Herzen, in deinem zerrütteten Gehirne dein Elend liegt, wovon alle Könige der Erde dir nicht helfen können."

Müsse der trostlos umkommen, der eines Kranken spottet, der nach der entferntesten Quelle reist, die seine Krankheit vermehren, sein Ausleben schmerzhafter machen wird, der sich über das bedrängte Herz erhebt, das, um seine Gewissensbisse loszuwerden und die Leiden seiner Seele abzutun, seine Pilgrimschaft nach dem heiligen Grabe tut! Jeder Fußtritt, der seine Sohlen auf ungebahntem Wege durchschneidet, ist ein Lindrungstropfen der geängsteten Seele, und mit jeder ausgedauerten Tagreise legt sich das Herz um viel Bedrängnis leichter nieder. – Und dürft ihr das Wahn nennen – Ihr Wortkrämer auf euren Polstern – Wahn! – O Gott! du siehst meine Tränen – Mußtest du, der du den Menschen arm genug erschufst, ihm auch Brüder zugeben, die ihm das bißchen Armut, das bißchen Vertrauen noch raubten, das er auf dich hat, auf dich, du Alliebender! Denn das Vertrauen zu einer heilenden Wurzel, zu den Tränen des Weinstocks, was ist's als Vertrauen zu dir, daß du in alles, was uns umgibt, Heil- und Lindrungskraft gelegt hast, der wir so stündlich bedürfen. – Vater, den ich nicht kenne! Vater, der sonst meine ganze Seele füllte und nun sein Angesicht von mir gewendet hat! Rufe mich zu dir! Schweige nicht länger! Dein Schweigen wird diese durstende Seele nicht aufhalten – Und würde ein Mensch, ein Vater zürnen können, dem sein unvermutet rückkehrender Sohn um den Hals fiele und rief: „Ich bin wieder da, mein Vater. Zürne nicht, daß ich die Wanderschaft abbreche, die ich nach deinem Willen länger aushalten sollte. Die Welt ist überall einerlei, auf Müh und Arbeit Lohn und Freude; aber was soll mir das? mir ist nur wohl, wo du bist, und vor deinem Angesichte will ich leiden und genießen." – Und du, lieber himmlischer Vater, solltest ihn von dir weisen?

Am 1. Dez.

Wilhelm! der Mensch, von dem ich dir schrieb, der glückliche Unglückliche, war Schreiber bei Lottens Vater, und eine unglückliche Leidenschaft zu ihr, die er nährte, verbarg, entdeckte, und aus dem Dienst geschickt wurde, hat ihn rasend gemacht. Fühle, Kerl, bei diesen trocknen Worten, mit welchem Unsinne mich die Geschichte ergriffen hat, da mir sie Albert ebenso gelassen erzählte, als du s' vielleicht liesest.

Am 4. Dez.

Ich bitte dich – siehst du, mit mir ist's aus – Ich trag das all nicht länger. Heut saß ich bei ihr – saß, sie spielte auf ihrem Klavier, manchfaltige Melodien, und all den Ausdruck! all! all! – Was willst du? – Ihr Schwesterchen putzte ihre Puppe auf meinem Knie. Mir kamen die Tränen in die Augen. Ich neigte mich, und ihr Trauring fiel mir ins Gesicht – Meine Tränen flossen – Und auf einmal fiel sie in die alte, himmelsüße Melodie ein, so auf einmal, und mir durch die Seele gehn ein Trostgefühl und eine Erinnerung all des Vergangenen, all der Zeiten, da ich das Lied gehört, all der düstern Zwischenräume des Verdrusses, der fehlgeschlagenen Hoffnungen, und dann – Ich ging in der Stube auf und nieder, mein Herz erstickte unter all dem. „Um Gottes willen", sagt ich, mit einem heftigen Ausbruch hin gegen sie fahrend, „um Gottes willen, hören Sie auf." Sie hielt und sah mich starr an. „Werther", sagte sie mit einem Lächeln, das mir durch die Seele ging, „Werther, Sie sind sehr krank, Ihre Lieblingsgerichte widerstehen Ihnen. Gehen Sie! Ich bitte Sie, beruhigen Sie sich.“ Ich riß mich von ihr weg, und – Gott! du siehst mein Elend und wirst es enden.

Am 6. Dez.

Wie mich die Gestalt verfolgt. Wachend und träumend füllt sie meine ganze Seele. Hier, wenn ich die Augen schließe, hier in meiner Stirne, wo die innere Sehkraft sich vereinigt, stehen ihre schwarzen Augen. Hier! Ich kann dir's nicht ausdrücken. Mach ich meine Augen zu, so sind sie da, wie ein Meer, wie ein Abgrund ruhen sie vor mir, in mir, füllen die Sinnen meiner Stirne.

Was ist der Mensch? der gepriesene Halbgott! Ermangeln ihm nicht da eben die Kräfte, wo er sie am nötigsten braucht? Und wenn er in Freude sich aufschwingt oder im Leiden versinkt, wird er nicht in beiden eben da aufgehalten, eben da wieder zu dem stumpfen, kalten Bewußtsein zurückgebracht, da er sich in der Fülle des Unendlichen zu verlieren sehnte.

Am 8. Dez.

Lieber Wilhelm, ich bin in einem Zustande, in dem jene Unglücklichen müssen gewesen sein, von denen man glaubte, sie würden von einem bösen Geiste umhergetrieben. Manchmal ergreift mich's, es ist nicht Angst, nicht Begier! es ist ein inneres unbekanntes Toben, das meine Brust zu zerreißen droht, das mir die Gurgel zupreßt! Wehe! Wehe! Und dann schweif ich umher in den furchtbaren nächtlichen Szenen dieser menschenfeindlichen Jahrszeit.

Gestern nacht mußt ich hinaus. Ich hatte noch abends gehört, der Fluß sei übergetreten und die Bäche all und von Wahlheim herunter all mein liebes Tal überschwemmt. Nachts nach eilf rannt ich hinaus. Ein fürchterliches Schauspiel. Vom Fels herunter die wühlenden Fluten in dem Mondlichte wirbeln zu sehn, über Äcker und Wiesen und Hecken und alles, und das weite Tal hinauf und hinab eine stürmende See im Sausen des Windes. Und wenn denn der Mond wieder hervortrat und über der schwarzen Wolke ruhte und vor mir hinaus die Flut in fürchterlich herrlichen Widerschein rollte und klang, da überfiel mich ein Schauer und wieder ein Sehnen! Ach! Mit offenen Armen stand ich gegen den Abgrund und atmete hinab! hinab und verlor mich in der Wonne, all meine Qualen, all mein Leiden da hinabzustürmen, dahinzubrausen wie die Wellen. Oh! Und den Fuß vom Boden zu heben vermochtest du nicht und alle Qualen zu enden! – Meine Uhr ist noch nicht ausgelaufen – ich fühl's! O Wilhelm, wie gern hätt ich all mein Menschsein drum gegeben, mit jenem Sturmwinde die Wolken zu zerreißen, die Fluten zu fassen. Ha! Und wird nicht vielleicht dem Eingekerkerten einmal diese Wonne zuteil! –

Und wie ich wehmütig hinabsah auf ein Plätzchen, wo ich mit Lotten unter einer Weide geruht auf einem heißen Spaziergange, das war auch überschwemmt, und kaum daß ich die Weide erkannte! Wilhelm. Und ihre Wiesen, dacht ich, und all die Gegend um ihr Jagdhaus, wie jetzt vom reißenden Strome verstört unsere Lauben, dacht ich. Und der Vergangenheit Sonnenstrahl blickte herein – wie einem Gefangenen ein Traum von Herden, Wiesen und Ehrenämtern. Ich stand! – Ich schelte mich nicht, denn ich habe Mut zu sterben – Ich hätte – Nun sitz ich hier wie ein altes Weib, das ihr Holz an Zäunen stoppelt und ihr Brot an den Türen, um ihr hinsterbendes freudloses Dasein noch einen Augenblick zu verlängern und zu erleichtern.

Am 17. Dez.

Was ist das, mein Lieber? Ich erschrecke vor mir selbst! Ist nicht meine Liebe zu ihr die heiligste, reinste, brüderlichste Liebe? Hab ich jemals einen strafbaren Wunsch in meiner Seele gefühlt – ich will nicht beteuren – und nun – Träume! O wie wahr• fühlten die Menschen, die so widersprechende Würkungen fremden Mächten zuschrieben. Diese

Nacht! ich zittere, es zu sagen, hielt ich sie in meinen Armen, fest an meinen Busen gedrückt, und deckte ihren Liebe lispelnden Mund mit unendlichen Küssen. Mein Auge schwamm in der Trunkenheit des ihrigen. Gott! bin ich strafbar, daß ich auch jetzt noch eine Seligkeit fühle, mir diese glühende Freuden mit voller Innigkeit zurückzurufen, Lotte! Lotte! – Und mit mir ist's aus! Meine Sinnen verwirren sich. Schon acht Tage hab ich keine Besinnungskraft, meine Augen sind voll Tränen. Ich bin nirgends wohl und überall wohl. Ich wünsche nichts, verlange nichts. Mir wär's besser, ich ginge.

Der Herausgeber an den Leser

Die ausführliche Geschichte der letzten merkwürdigen Tage unsers Freundes zu liefern, seh ich mich genötiget, seine Briefe durch Erzählung zu unterbrechen, wozu ich den Stoff aus dem Munde Lottens, Albertens, seines Bedienten und anderer Zeugen gesammlet habe.

Werthers Leidenschaft hatte den Frieden zwischen Alberten und seiner Frau allmählich untergraben, dieser liebte sie mit der ruhigen Treue eines rechtschaffnen Manns, und der freundliche Umgang mit ihr subordinierte sich nach und nach seinen Geschäften. Zwar wollte er sich nicht den Unterschied gestehen, der die gegenwärtige Zeit den Bräutigamstagen so ungleich machte; doch fühlte er innerlich einen gewissen Widerwillen gegen Werthers Aufmerksamkeiten für Lotten, die ihm zugleich ein Eingriff in seine Rechte und ein stiller Vorwurf zu sein scheinen mußten. Dadurch ward der üble Humor vermehrt, den ihm seine überhäuften, gehinderten, schlecht belohnten Geschäfte manchmal gaben, und da denn Werthers Lage auch ihn zum traurigen Gesellschafter machte, indem die Beängstigung seines Herzens die übrige Kräfte seines Geistes, seine Lebhaftigkeit, seinen Scharfsinn aufgezehrt hatte; so konnte es nicht fehlen, daß Lotte zuletzt selbst mit angesteckt wurde und in eine Art von Schwermut verfiel, in der Albert eine wachsende Leidenschaft für ihren

Liebhaber und Werther einen tiefen Verdruß über das veränderte Betragen ihres Mannes zu entdecken glaubte. Das Mißtrauen, womit die beiden Freunde einander ansahen, machte ihnen ihre wechselseitige Gegenwart höchst beschwerlich. Albert mied das Zimmer seiner Frau, wenn Werther bei ihr war, und dieser, der es merkte, ergriff nach einigen fruchtlosen Versuchen, ganz von ihr zu lassen, die Gelegenheit, sie in solchen Stunden zu sehen, da ihr Mann von seinen Geschäften gehalten wurde. Daraus entstund neue Unzufriedenheit, die Gemüter verhetzten sich immer mehr gegeneinander, bis zuletzt Albert seiner Frau mit ziemlich trocknen Worten sagte: sie möchte, wenigstens um der Leute willen, dem Umgange mit Werthern eine andere Wendung geben und seine allzuöfteren Besuche abschneiden.

Ohngefähr um diese Zeit hatte sich der Entschluß, diese Welt zu verlassen, in der Seele des armen Jungen näher bestimmt. Es war von jeher seine Lieblingsidee gewesen, mit der er sich, besonders seit der Rückkehr zu Lotten, immer getragen.

Doch sollte es keine übereilte, keine rasche Tat sein, er wollte mit der besten Überzeugung, mit der möglichsten ruhigen Entschlossenheit diesen Schritt tun.

Seine Zweifel, sein Streit mit sich selbst blicken aus einem Zettelchen hervor, das wahrscheinlich ein angefangener Brief an Wilhelmen ist und ohne Datum unter seinen Papieren gefunden worden.

„Ihre Gegenwart, ihr Schicksal, ihr Teilnehmen an dem meinigen preßt noch die letzten Tränen aus meinem versengten Gehirn.

Den Vorhang aufzuheben und dahinterzutreten, das ist's all! Und warum das Zaudern und Zagen? – Weil man nicht weiß, wie's dahinten aussieht? – und man nicht zurückkehrt? – Und daß das nun die Eigenschaft unseres Geistes ist, da Verwirrung und Finsternis zu ahnden, wovon wir nichts Bestimmtes wissen.“

Den Verdruß, den er bei der Gesandtschaft gehabt, konnte er nicht vergessen. Er erwähnte dessen selten, doch wenn es auch auf die entfernteste Weise geschah, so konnte man fühlen, daß er seine Ehre dadurch unwiederbringlich gekränkt hielte und daß ihm dieser Vorfall eine Abneigung gegen alle Geschäfte und politische Wirksamkeit gegeben hatte. Daher überließ er sich ganz der wunderbaren Empfind- und Denkensart, die wir aus seinen Briefen kennen, und einer endlosen Leidenschaft, worüber noch endlich alles, was tätige Kraft an ihm war, verlöschen mußte. Das ewige Einerlei eines traurigen Umgangs mit dem liebenswürdigen und geliebten Geschöpfe, dessen Ruhe er störte, das stürmende Abarbeiten seiner Kräfte ohne Zweck und Aussicht drängten ihn endlich zu der schröcklichen Tat.

„Am 20. Dez.

Ich danke deiner Liebe, Wilhelm, daß du das Wort so aufgefangen hast. Ja, du hast recht: Mir wäre besser, ich ginge. Der Vorschlag, den du zu einer Rückkehr zu euch tust, gefällt mir nicht ganz, wenigstens möcht ich noch gern einen Umweg machen, besonders da wir anhaltenden Frost und gute Wege zu hoffen haben. Auch ist mir's sehr lieb, daß du kommen willst, mich abzuholen, verzieh nur noch vierzehn Tage und erwarte noch einen Brief von mir mit dem Weitern. Es ist nötig, daß nichts gepflückt werde, eh es reif ist. Und vierzehn Tage auf oder ab tun viel. Meiner Mutter sollst du sagen: daß sie für ihren Sohn beten soll und daß ich sie um Vergebung bitte wegen all des Verdrusses, den ich ihr gemacht habe. Das war nun mein Schicksal, die zu betrüben, denen ich Freude schuldig war. Leb wohl, mein Teuerster. Allen Segen des Himmels über dich! Leb wohl!“

An ebendem Tage, es war der Sonntag vor Weihnachten, kam er abends zu Lotten und fand sie allein. Sie beschäftigte sich, einige Spielwerke in Ordnung zu bringen, die sie ihren kleinen Geschwistern zum Christgeschenke zurechtgemacht hatte. Er redete von dem Vergnügen, das die Kleinen haben würden, und von den Zeiten, da einen die unerwartete Öffnung der Türe und die Erscheinung eines aufgeputzten Baums mit Wachslichtern, Zuckerwerk und Äpfeln in paradiesische Entzückung setzte. „Sie sollen“, sagte Lotte, indem sie ihre Verlegenheit unter ein liebes Lächeln verbarg, „Sie sollen auch beschert kriegen, wenn Sie recht geschickt sind, ein Wachsstöckchen und noch was.“ – „Und was heißen Sie geschickt sein?“ rief er aus, „wie soll ich sein, wie kann ich sein, beste Lotte?“ – „Donnerstag abend“, sagte sie, „ist Weihnachtsabend, da kommen die Kinder, mein Vater auch, da kriegt jedes das Seinige, da kommen Sie auch – aber nicht eher.“ Werther stutzte! „Ich bitte Sie“, fuhr sie fort, „es ist nun einmal so, ich bitte Sie um meiner Ruhe willen, es kann nicht, es kann nicht so bleiben!“ Er wendete seine Augen von ihr, ging in der Stube auf und ab und murmelte das „Es kann nicht so bleiben!“ zwischen den Zähnen. Lotte, die den schröcklichen Zustand fühlte, worein ihn diese Worte versetzt hatten, suchte durch allerlei Fragen seine Gedanken abzulenken, aber vergebens. „Nein, Lotte“, rief er aus, „ich werde Sie nicht wiedersehn!“ – „Warum das?“ versetzte sie, „Werther, Sie können, Sie müssen uns wiedersehen, nur mäßigen Sie sich. Oh! warum mußten Sie mit dieser Heftigkeit, dieser unbezwinglich haftenden Leidenschaft für alles, das Sie einmal anfassen, geboren werden. Ich bitte Sie“, fuhr sie fort, indem sie ihn bei der Hand nahm, „mäßigen Sie sich, Ihr Geist, Ihre Wissenschaft, Ihre Talente, was bieten die Ihnen für mannigfaltige Ergötzungen dar! Sein Sie ein Mann, wenden Sie diese traurige Anhänglichkeit von einem Geschöpfe, das nichts tun kann, als Sie bedauren.“ Er knirrte mit den Zähnen und sah sie düster an. Sie hielt seine Hand. „Nur einen Augenblick ruhigen Sinn, Werther“, sagte sie. „Fühlen Sie nicht, daß Sie sich betrügen, sich mit Willen zugrunde richten? Warum denn mich! Werther! Just mich! das Eigentum eines andern. Just das! Ich fürchte, ich fürchte, es ist nur die Unmöglichkeit, mich zu besitzen, die Ihnen diesen

Wunsch so reizend macht." Er zog seine Hand aus der ihrigen, indem er sie mit einem starren, unwilligen Blicke ansah. „Weise!" rief er, „sehr weise! Hat vielleicht Albert diese Anmerkung gemacht? Politisch! sehr politisch!" – „Es kann sie jeder machen", versetzte sie drauf. „Und sollte denn in der weiten Welt kein Mädchen sein, das die Wünsche Ihres Herzens erfüllte. Gewinnen Sie's über sich, suchen Sie darnach, und ich schwöre Ihnen, Sie werden sie finden. Denn schon lange ängstet mich für Sie und uns die Einschränkung, in die Sie sich diese Zeit her selbst gebannt haben. Gewinnen Sie's über sich! Eine Reise wird Sie, muß Sie zerstreuen! Suchen Sie, finden Sie einen werten Gegenstand all Ihrer Liebe, und kehren Sie zurück, und lassen Sie uns zusammen die Seligkeit einer wahren Freundschaft genießen."

„Das könnte man", sagte er mit einem kalten Lachen, „drucken lassen und allen Hofmeistern empfehlen. Liebe Lotte, lassen Sie mir noch ein klein wenig Ruh, es wird alles werden." – „Nur das, Werther! daß Sie nicht eher kommen als Weihnachtsabend!" Er wollte antworten, und Albert trat in die Stube. Man bot sich einen frostigen „guten Abend" und ging verlegen im Zimmer nebeneinander auf und nieder. Werther fing einen unbedeutenden Diskurs an, der bald aus war, Albert desgleichen, der sodann seine Frau nach einigen Aufträgen fragte und, als er hörte, sie seien noch nicht ausgerichtet, ihr spitze Reden gab, die Werthern durchs Herz gingen. Er wollte gehn, er konnte nicht und zauderte bis acht, da sich denn der Unmut und Unwillen aneinander immer vermehrte, bis der Tisch gedeckt wurde und er Hut und Stock nahm, da ihm denn Albert ein unbedeutend Kompliment, ob er nicht mit ihnen vorliebnehmen wollte, mit auf den Weg gab.

Er kam nach Hause, nahm seinem Burschen, der ihm leuchten wollte, das Licht aus der Hand und ging allein in sein Zimmer, weinte laut, redete aufgebracht mit sich selbst, ging heftig die Stube auf und ab und warf sich endlich in seinen Kleidern aufs Bette, wo ihn der Bediente fand, der es gegen eilf wagte hineinzugehn, um zu fragen, ob er dem Herrn die Stiefel ausziehen sollte, das er denn zuließ und dem Diener verbot, des andern Morgens nicht ins Zimmer zu kommen, bis er ihm rufte.

Montags früh, den einundzwanzigsten Dezember, schrieb er folgenden Brief an Lotten, den man nach seinem Tode versiegelt auf seinem Schreibtische gefunden und ihr überbracht hat und den ich absatzweise hier einrücken will, so wie aus den Umständen erhellet, daß er ihn geschrieben habe.

„Es ist beschlossen, Lotte, ich will sterben, und das schreib ich dir ohne romantische Überspannung, gelassen, an dem Morgen des Tags, an dem ich dich zum letztenmal sehn werde. Wenn du dieses liesest, meine Beste, deckt schon das kühle Grab die erstarrten Reste des Unruhigen, Unglücklichen, der für die letzten Augenblicke seines Lebens keine größere Süßigkeit weiß, als sich mit dir zu unterhalten. Ich habe eine schröckliche Nacht gehabt und, ach, eine wohltätige Nacht, sie ist's, die meinen wankenden Entschluß befestiget, bestimmt hat: Ich will sterben. Wie ich mich gestern von dir riß, in der fürchterlichen Empörung meiner Sinnen, wie sich all, all das nach meinem Herzen drängte und mein hoffnungsloses, freudloses Dasein neben dir in gräßlicher Kälte mich anpackte; ich erreichte kaum mein Zimmer, ich warf mich außer mir auf meine Knie, und o Gott! du gewährtest mir das letzte Labsal der bittersten Tränen, und tausend Anschläge, tausend Aussichten wüteten durch meine Seele, und zuletzt stand er da, fest, ganz, der letzte, einzige Gedanke: Ich will sterben! – Ich legte mich nieder, und morgens, in all der Ruh des Erwachens, steht er noch fest, noch ganz stark in meinem Herzen: Ich will sterben! – Es ist nicht Verzweiflung, es ist Gewißheit, daß ich ausgetragen habe und daß ich mich opfere für dich, ja Lotte, warum sollt ich's verschweigen: eins von uns dreien muß hinweg, und das will ich sein. O meine Beste, in diesem zerrissenen Herzen ist es wütend herumgeschlichen, oft – deinen Mann zu ermorden! – dich! – mich! – So sei's denn! – Wenn du hinaufsteigst auf den Berg, an einem schönen Sommerabende, dann erinnere dich meiner, wie ich so oft das Tal heraufkam, und dann blicke nach dem Kirchhofe hinüber nach meinem Grabe, wie der Wind das hohe Gras im Schein der sinkenden Sonne hin- und herwiegt. – Ich war ruhig, da ich anfing, und nun wein ich wie ein Kind, da mir all das so lebhaft um mich wird. –“

Gegen zehn Uhr rufte Werther seinem Bedienten, und unter dem Anziehen sagte er ihm: wie er in einigen Tagen verreisen würde, er solle daher die Kleider auskehren und alles zum Einpacken zurechtemachen, auch gab er ihm Befehl, überall Kontis zu fordern, einige ausgeliehene Bücher abzuholen und einigen Armen, denen er wöchentlich etwas zu geben gewohnt war, ihr Zugeteiltes auf zwei Monate voraus zu bezahlen.

Er ließ sich das Essen auf die Stube bringen, und nach Tische ritt er hinaus zum Amtmanne, den er nicht zu Hause antraf. Er ging tiefsinnig im Garten auf und ab und schien noch zuletzt alle Schwermut der Erinnerung auf sich häufen zu wollen.

Die Kleinen ließen ihn nicht lange in Ruhe, sie verfolgten ihn, sprangen an ihn hinauf, erzählten ihm: daß, wenn morgen und wieder morgen und noch ein Tag wäre, daß sie die Christgeschenke bei Lotten holten, und erzählten ihm Wunder, die sich ihre kleine Einbildungskraft versprach. „Morgen!“ rief er aus, „und wieder morgen, und noch ein Tag!“ Und küßte sie alle herzlich und wollte sie verlassen, als ihm der Kleine noch was ins Ohr sagen wollte. Der verriet ihm, daß die großen Brüder hätten schöne Neujahrswünsche geschrieben, so groß, und einen für den Papa, für Albert und Lotte einen und auch einen für Herrn Werther. Die wollten sie des Neujahrstags früh überreichen.

Das übermannte ihn, er schenkte jedem was, setzte sich zu Pferde, ließ den Alten grüßen und ritt mit Tränen in den Augen davon.

Gegen fünfe kam er nach Hause, befahl der Magd, nach dem Feuer zu sehen und es bis in die Nacht zu unterhalten. Dem Bedienten hieß er Bücher und Wäsche unten in den Koffer packen und die Kleider einnähen. Darauf schrieb er wahrscheinlich folgenden Absatz seines letzten Briefes an Lotten.

„Du erwartest mich nicht. Du glaubst, ich würde gehorchen und erst Weihnachtsabend dich wiedersehn. O Lotte! Heut oder nie mehr. Weihnachtsabend hältst du dieses Papier in deiner Hand, zitterst und benetzt es mit deinen lieben Tränen. Ich will, ich muß! O wie wohl ist mir's, daß ich entschlossen bin."

Um halb sieben ging er nach Albertens Hause und fand Lotten allein, die über seinen Besuch sehr erschrocken war. Sie hatte ihrem Manne im Diskurs gesagt, daß Werther vor Weihnachtsabend nicht wiederkommen würde. Er ließ bald darauf sein Pferd satteln, nahm von ihr Abschied und sagte, er wolle zu einem Beamten in der Nachbarschaft reiten, mit dem er Geschäfte abzutun habe, und so machte er sich trutz der übeln Witterung fort. Lotte, die wohl wußte, daß er dieses Geschäft schon lange verschoben hatte, daß es ihn eine Nacht von Hause halten würde, verstund die Pantomime nur allzu wohl und ward herzlich betrübt darüber. Sie saß in ihrer Einsamkeit, ihr Herz ward weich, sie sah das Vergangene, fühlte all ihren Wert und ihre Liebe zu ihrem Manne, der nun statt des versprochenen Glücks anfing, das Elend ihres Lebens zu machen. Ihre Gedanken fielen auf Werthern. Sie schalt ihn und konnte ihn nicht hassen. Ein geheimer Zug hatte ihr ihn vom Anfange ihrer Bekanntschaft teuer gemacht, und nun, nach so viel Zeit, nach so manchen durchlebten Situationen, mußte sein Eindruck unauslöschlich in ihrem Herzen sein. Ihr gepreßtes Herz machte sich endlich in Tränen Luft und ging in eine stille Melancholie über, in der sie sich je länger je tiefer verlor. Aber wie schlug ihr Herz, als sie Werthern die Treppe heraufkommen und außen nach ihr fragen hörte. Es war zu spät, sich verleugnen zu lassen, und sie konnte sich nur halb von ihrer Verwirrung ermannen, als er ins Zimmer trat. „Sie haben nicht Wort gehalten!“ rief sie ihm entgegen. „Ich habe nichts versprochen“, war seine Antwort. „So hätten Sie mir wenigstens meine Bitte gewähren sollen“, sagte sie, „es war Bitte um unserer beider Ruhe willen.“ Indem sie das sprach, hatte sie bei sich überlegt, einige ihrer Freundinnen zu sich rufen zu lassen. Sie sollten Zeugen ihrer Unterredung mit Werthern sein, und abends, weil er sie nach Hause führen mußte, ward sie ihn zur rechten Zeit los. Er hatte ihr einige Bücher zurückgebracht, sie fragte nach einigen andern und suchte das Gespräch, in Erwartung ihrer Freundinnen, allgemein zu erhalten, als das Mädchen zurückkam und ihr hinterbrachte, wie sie sich beide entschuldigen ließen, die eine habe unangenehmen Verwandtenbesuch, und die andere möchte sich nicht anziehen und in dem schmutzigen Wetter nicht gerne ausgehen.

Darüber ward sie einige Minuten nachdenkend, bis das Gefühl ihrer Unschuld sich mit einigem Stolze empörte. Sie bot Albertens Grillen Trutz, und die Reinheit ihres Herzens gab ihr eine Festigkeit, daß sie nicht, wie sie anfangs vorhatte, ihr Mädchen in die Stube rief, sondern, nachdem sie einige Menuetts auf dem Klavier gespielt hatte, um sich zu erholen und die Verwirrung ihres Herzens zu stillen, sich gelassen zu Werthern aufs Kanapee setzte. „Haben Sie nichts zu lesen?“ sagte sie. Er hatte nichts. „Da drinne in meiner Schublade“, fing sie an, „liegt Ihre Übersetzung einiger Gesänge Ossians, ich habe sie noch nicht gelesen, denn ich hoffte immer, sie von Ihnen zu hören, aber zeither sind Sie zu nichts mehr tauglich.“ Er lächelte, holte die Lieder, ein Schauer überfiel ihn, als er sie in die Hand nahm, und die Augen stunden ihm voll Tränen, als er hineinsah, er setzte sich nieder und las:

„Stern der dämmernden Nacht, schön funkelst du in Westen. Hebst dein strahlend Haupt aus deiner Wolke. Wandelst stattlich deinen Hügel hin. Wornach blickst du auf die Heide? Die stürmende Winde haben sich gelegt. Von ferne kommt des Gießbachs Murmeln. Rauschende Wellen spielen am Felsen ferne. Das Gesumme der Abendfliegen schwärmet übers Feld. Wornach siehst du, schönes Licht? Aber du lächelst und gehst, freudig umgeben dich die Wellen und baden dein liebliches Haar. Lebe wohl, ruhiger Strahl. Erscheine, du herrliches Licht von Ossians Seele.

Und es erscheint in seiner Kraft. Ich sehe meine geschiedene Freunde, sie sammeln sich auf Lora, wie in den Tagen, die vorüber sind. – Fingal kommt wie eine feuchte Nebelsäule; um ihn sind seine Helden. Und sieh die Barden des Gesangs! grauer Ullin! stattlicher Ryno! Alpin, lieblicher Sänger! Und du, sanft klagende Minona! – Wie verändert seid ihr, meine Freunde, seit den festlichen Tagen auf Selma! da wir buhlten um die Ehre des Gesangs, wie Frühlingslüfte den Hügel hin wechselnd beugen das schwach lispelnde Gras.

Da trat Minona hervor in ihrer Schönheit, mit niedergeschlagenem Blick und tränenvollem Auge. Ihr Haar floß schwer im unsteten Winde, der von dem Hügel herstieß. – Düster ward's in der Seele der Helden, als sie die liebliche Stimme erhub; denn oft hatten sie das Grab Salgars gesehen, oft die finstere Wohnung der weißen Colma. Colma, verlassen auf dem Hügel, mit all der harmonischen Stimme. Salgar versprach zu kommen; aber ringsum zog sich die Nacht. Höret Colmas Stimme, da sie auf dem Hügel allein saß.

Colma

Es ist Nacht; – ich bin allein, verloren auf dem stürmischen Hügel. Der Wind saust im Gebürg, der Strom heult den Felsen hinab. Keine Hütte schützt mich vor dem Regen, verlassen auf dem stürmischen Hügel.

Tritt, o Mond, aus deinen Wolken; erscheinet, Sterne der Nacht! Leite mich irgendein Strahl zu dem Orte, wo meine Liebe ruht von den Beschwerden der Jagd, sein Bogen neben ihm abgespannt, seine Hunde schnobend um ihn! Aber hier muß ich sitzen allein auf dem Felsen des verwachsenen Stroms. Der Strom und der Sturm saust, ich höre nicht die Stimme meines Geliebten.

Warum zaudert mein Salgar? Hat er sein Wort vergessen? – Da ist der Fels und der Baum und hier der rauschende Strom. Mit der Nacht versprachst du hier zu sein. Ach! wohin hat sich mein Salgar verirrt? Mit dir wollt ich fliehen, verlassen Vater und Bruder! die Stolzen! Lange sind unsere Geschlechter Feinde, aber wir sind keine Feinde, o Salgar.

Schweig eine Weile, o Wind, still eine kleine Weile, o Strom, daß meine Stimme klinge durchs Tal, daß mein Wandrer mich höre. Salgar! Ich bin's, die ruft. Hier ist der Baum und der Fels. Salgar, mein Lieber, hier bin ich. Warum zauderst du zu kommen?

Sieh, der Mond erscheint. Die Flut glänzt im Tale. Die Felsen stehn grau den Hügel hinauf. Aber ich seh ihn nicht auf der Höhe. Seine Hunde vor ihm her verkündigen nicht seine Ankunft. Hier muß ich sitzen allein.

Aber wer sind, die dort unten liegen auf der Heide – Mein Geliebter? Mein Bruder? – Redet, o meine Freunde! Sie antworten nicht. Wie geängstet ist meine Seele – Ach, sie sind tot! – Ihre Schwerte rot vom Gefecht. O mein Bruder, mein Bruder, warum hast du meinen Salgar erschlagen? O mein Salgar, warum hast du meinen Bruder erschlagen? – Ihr wart mir beide so lieb! O du warst schön an dem Hügel unter Tausenden; er war schröcklich in der Schlacht. Antwortet mir! Hört meine Stimme, meine Geliebten. Aber ach, sie sind stumm. Stumm vor ewig. Kalt wie die Erde ist ihr Busen.

Oh, von dem Felsen des Hügels, von dem Gipfel des stürmenden Berges, redet, Geister der Toten! Redet! mir soll es nicht grausen! – Wohin seid ihr zur Ruhe gegangen? In welcher Gruft des Gebürges soll ich euch finden! – Keine schwache Stimme vernehm ich im Wind, keine wehende Antwort im Sturme des Hügels.

Ich sitze in meinem Jammer, ich harre auf den Morgen in meinen Tränen. Wühlet das Grab, ihr Freunde der Toten, aber schließt es nicht, bis ich komme. Mein Leben schwindet wie ein Traum, wie sollt ich zurückbleiben. Hier will ich wohnen mit meinen Freunden, an dem Strome des klingenden Felsen – Wenn's Nacht wird auf dem Hügel und der Wind kommt über die Heide, soll mein Geist im Winde stehn und trauren den Tod meiner Freunde. Der Jäger hört mich aus seiner Laube, fürchtet meine Stimme und liebt sie; denn süß soll meine Stimme sein um meine Freunde, sie waren mir beide so lieb.

Das war dein Gesang, o Minona, Tormans sanft errötende Tochter. Unsere Tränen flossen um Colma, und unsere Seele ward düster – Ullin trat auf mit der Harfe und gab uns Alpins Gesang – Alpins Stimme war freundlich, Rynos Seele ein Feuerstrahl. Aber schon ruhten sie im engen Hause, und ihre Stimme war verhallet in Selma – Einst kehrt' Ullin von der Jagd zurück, eh noch die Helden fielen, er hörte ihren Wettegesang auf dem Hügel, ihr Lied war sanft, aber traurig, sie klagten Morars Fall, des ersten der Helden. Seine Seele war wie Fingals Seele; sein Schwert wie das Schwert Oskars – Aber er fiel, und sein Vater jammerte, und seiner Schwester Augen waren voll Tränen – Minonas Augen waren voll Tränen, der Schwester des herrlichen Morars. Sie trat zurück vor Ullins Gesang, wie der Mond in Westen, der den Sturmregen voraussieht und sein schönes Haupt in eine Wolke verbirgt. – Ich schlug die Harfe mit Ullin zum Gesange des Jammers.

Ryno

Vorbei sind Wind und Regen, der Mittag ist so heiter, die Wolken teilen sich. Fliehend bescheint den Hügel die unbeständge Sonne. So rötlich fließt der Strom des Bergs im Tale hin. Süß ist dein Murmeln, Strom, doch süßer die Stimme, die ich höre. Es ist Alpins Stimme, er bejammert den Toten.

Sein Haupt ist vor Alter gebeugt und rot sein tränendes Auge. Alpin, trefflicher Sänger, warum allein auf dem schweigenden Hügel, warum jammerst du wie ein Windstoß im Wald, wie eine Welle am fernen Gestade.

Alpin

Meine Tränen, Ryno, sind für den Toten, meine Stimme für die Bewohner des Grabs. Schlank bist du auf dem Hügel, schön unter den Söhnen der Heide. Aber du wirst fallen wie Morar, und wird der Traurende sitzen auf deinem Grabe. Die Hügel werden dich vergessen, dein Bogen in der Halle liegen ungespannt.

Du warst schnell, o Morar, wie ein Reh auf dem Hügel, schrecklich wie die Nachtfeuer am Himmel, dein Grimm war ein Sturm. Dein Schwert in der Schlacht wie Wetterleuchten über der Heide. Deine Stimme glich dem Waldstrome nach dem Regen, dem Donner auf fernen Hügeln. Manche fielen von deinem Arm, die Flamme deines Grimms verzehrte sie. Aber wenn du kehrtest vom Kriege, wie friedlich war deine Stirne! Dein Angesicht war gleich der Sonne nach dem Gewitter, gleich dem Monde in der schweigenden Nacht. Ruhig deine Brust wie der See, wenn sich das Brausen des Windes gelegt hat.

Eng ist nun deine Wohnung, finster deine Stätte. Mit drei Schritten meß ich dein Grab, o du, der du ehe so groß warst! Vier Steine mit moosigen Häuptern sind dein einzig Gedächtnis. Ein entblätterter Baum, lang Gras, das wispelt im Winde, deutet dem Auge des Jägers das Grab des mächtigen Morars. Keine Mutter hast du, dich zu beweinen, kein Mädchen, mit Tränen der Liebe. Tot ist, die dich gebar. Gefallen die Tochter von Morglan.

Wer auf seinem Stabe ist das? Wer ist's, dessen Haupt weiß ist vor Alter, dessen Augen rot sind von Tränen? – Es ist dein Vater, o Morar! Der Vater keines Sohns außer dir! Er hörte von deinem Rufe in der Schlacht; er hörte von zerstobenen Feinden. Er hörte Morars Ruhm! Ach, nichts von seiner Wunde? Weine, Vater Morars! Weine! aber dein Sohn hört dich nicht. Tief ist der Schlaf der Toten, niedrig ihr Küssen von Staub. Nimmer achtet er auf die Stimme, nie erwacht er auf deinen Ruf. O wann wird es Morgen im Grabe? zu bieten dem Schlummerer: Erwache!

Lebe wohl, edelster der Menschen, du Eroberer im Felde! Aber nimmer wird dich das Feld sehn, nimmer der düstere Wald leuchten vom Glanze deines Stahls. Du hinterließest keinen Sohn, aber der Gesang soll deinen Namen erhalten. Künftige Zeiten sollen von dir hören, hören sollen sie von dem gefallenen Morar.

Laut ward die Trauer der Helden, am lautsten Armins berstender Seufzer. Ihn erinnert's an den Tod seines Sohns, der fiel in den Tagen seiner Jugend. Carmor saß nah bei dem Helden, der Fürst des hallenden Galmal. ‚Warum schluchzet der Seufzer Armins?' sprach er, ‚was ist hier zu weinen? Klingt nicht Lied und Gesang, die Seele zu schmelzen und zu ergötzen. Sind wie sanfter Nebel, der steigend vom See aufs Tal sprüht, und die blühenden Blumen füllet das Naß; aber die Sonne kommt wieder in ihrer Kraft, und der Nebel ist gangen. Warum bist du so jammervoll, Armin, Herr des seeumflossenen Gorma?'

‚Jammervoll! Wohl, das bin ich, und nicht gering die Ursach meines Wehs. – Carmor, du verlorst keinen Sohn; verlorst keine blühende Tochter! Colgar, der Tapfere, lebt; und Annira, die schönste der Mädchen. Die Zweige deines Hauses blühen, o Carmor, aber Armin ist der Letzte seines Stamms. Finster ist dein Bett, o Daura! Dumpf ist dein Schlaf in dem Grabe – Wann erwachst du mit deinen Gesängen, mit deiner melodischen Stimme? Auf! ihr Winde des Herbst, auf! Stürmt über die finstre Heide! Waldströme, braust! Heult, Stürme, in dem Gipfel der Eichen! Wandle durch gebrochene Wolken, o Mond, zeige wechselnd dein bleiches Gesicht! Erinnere mich der schröcklichen Nacht, da meine Kinder umkamen, Arindal, der mächtige, fiel, Daura, die liebe, verging.

Daura, meine Tochter, du warst schön! schön wie der Mond auf den Hügeln von Fura, weiß wie der gefallene Schnee, süß wie die atmende Luft. Arindal, dein Bogen war stark, dein Speer schnell auf dem Felde, dein Blick wie Nebel auf der Welle, dein Schild eine Feuerwolke im Sturme. Armar, berühmt im Krieg, kam und warb um Dauras Liebe, sie widerstund nicht lange, schön waren die Hoffnungen ihrer Freunde.

Erath, der Sohn Odgals, grollte, denn sein Bruder lag erschlagen von Armar. Er kam, in einen Schiffer verkleidet, schön war sein Nachen auf der Welle; weiß seine Locken vor Alter, ruhig sein ernstes Gesicht. ›Schönste der Mädchen‹, sagt' er, ›liebliche Tochter von Armin! Dort am Fels, nicht fern in der See, wo die rote Frucht vom Baume herblinkt, dort wartet Armar auf Daura. Ich komme, seine Liebe zu führen über die rollende See.‹

Sie folgt' ihm und rief nach Armar. Nichts antwortete als die Stimme des Felsens. ›Armar, mein Lieber, mein Lieber, warum ängstest du mich so? Höre, Sohn Arnarts, höre. Daura ist's, die dich ruft!‹

Erath, der Verräter, floh lachend zum Lande. Sie erhub ihre Stimme, rief nach ihrem Vater und Bruder: ›Arindal! Armin! Ist keiner, seine Daura zu retten?‹

Ihre Stimme kam über die See. Arindal, mein Sohn, stieg vom Hügel herab, rauh in der Beute der Jagd. Seine Pfeile rasselten an seiner Seite. Seinen Bogen trug er in der Hand. Fünf schwarzgraue Doggen waren um ihn. Er sah den kühnen Erath am Ufer, faßt' und band ihn an die Eiche. Fest umflocht er seine Hüften, er füllt' mit Ächzen die Winde.

Arindal betritt die Welle in seinem Boote, Daura herüberzubringen. Armar kam in seinem Grimm, drückt' ab den graubefiederten Pfeil, er klang, er sank in dein Herz, o Arindal, mein Sohn! Statt Erath, des Verräters, kamst du um, das Boot erreicht' den Felsen, er sank dran nieder und starb.

Welch war dein Jammer, o Daura, da zu deinen Füßen floß deines Bruders Blut.

Die Wellen zerschmettern das Boot. Armar stürzt sich in die See, seine Daura zu retten oder zu sterben. Schnell stürmt ein Stoß vom Hügel in die Wellen, er sank und hub sich nicht wieder.

Allein auf dem seebespülten Felsen hört ich die Klage meiner Tochter. Viel und laut war ihr Schreien; doch konnt sie ihr Vater nicht retten. Die ganze Nacht stund ich am Ufer, ich sah sie im schwachen Strahle des Monds, die ganze Nacht hört ich ihr Schrei'n. Laut war der Wind, und der Regen schlug scharf nach der Seite des Bergs. Ihre Stimme ward schwach, eh der Morgen erschien, sie starb weg wie die Abendluft zwischen dem Grase der Felsen. Beladen mit Jammer starb sie und ließ Armin allein! Dahin ist meine Stärke im Krieg, gefallen mein Stolz unter den Mädchen.

Wenn die Stürme des Berges kommen, wenn der Nord die Wellen hochhebt, sitz ich am schallenden Ufer, schaue nach dem schröcklichen Felsen. Oft im sinkenden Mond seh ich die Geister meiner Kinder, halb dämmernd wandeln sie zusammen in trauriger Eintracht.'"

Ein Strom von Tränen, der aus Lottens Augen brach und ihrem gepreßten Herzen Luft machte, hemmte Werthers Gesang, er warf das Papier hin und faßte ihre Hand und weinte die bittersten Tränen. Lotte ruhte auf der andern und verbarg ihre Augen ins Schnupftuch, die Bewegung beider war fürchterlich. Sie fühlten ihr eigenes Elend in dem Schicksal der Edlen, fühlten es zusammen, und ihre Tränen vereinigten sie. Die Lippen und Augen Werthers glühten an Lottens Arme, ein Schauer überfiel sie, sie wollte sich entfernen, und es lag all der Schmerz, der Anteil betäubend wie Blei auf ihr. Sie atmete, sich zu erholen, und bat ihn schluchzend, fortzufahren, bat mit der ganzen Stimme des Himmels, Werther zitterte, sein Herz wollte bersten, er hub das Blatt auf und las halb gebrochen:

„Warum weckst du mich, Frühlingsluft? Du buhlst und sprichst: ich betaue mit Tropfen des Himmels. Aber die Zeit meines Welkens ist nah, nah der Sturm, der meine Blätter herabstört! Morgen wird der Wandrer kommen, kommen, der mich sah in meiner Schönheit, rings wird sein Aug im Felde mich suchen und wird mich nicht finden. –“

Die ganze Gewalt dieser Worte fiel über den Unglücklichen, er warf sich vor Lotten nieder in der vollen Verzweiflung, faßte ihre Hände, druckte sie in seine Augen, wider seine Stirn, und ihr schien eine Ahndung seines schröcklichen Vorhabens durch die Seele zu fliegen. Ihre Sinnen verwirrten sich, sie druckte seine Hände, druckte sie wider ihre Brust, neigte sich mit einer wehmütigen Bewegung zu ihm, und ihre glühenden Wangen berührten sich. Die Welt verging ihnen, er schlang seine Arme um sie her, preßte sie an seine Brust und deckte ihre zitternde, stammelnde Lippen mit wütenden Küssen. „Werther!“ rief sie mit erstickter Stimme, sich abwendend, „Werther!“ und drückte mit schwacher Hand seine Brust von der ihrigen! „Werther!“ rief sie mit dem gefaßten Tone des edelsten Gefühls; er widerstund nicht, ließ sie aus seinen Armen und warf sich unsinnig vor sie hin. Sie riß sich auf, und in ängstlicher Verwirrung, bebend zwischen Liebe und Zorn, sagte sie: „Das ist das letzte Mal! Werther! Sie sehn mich nicht wieder.“ Und mit dem vollsten Blick der Liebe auf den Elenden eilte sie ins Nebenzimmer und schloß hinter sich zu. Werther streckte ihr die Arme nach, getraute sich nicht, sie zu halten. Er lag an der Erde, den Kopf auf dem Kanapee, und in dieser Stellung blieb er über eine halbe Stunde, bis ihn ein Geräusch zu sich selbst rief. Es war das Mädchen, das den Tisch decken wollte. Er ging im Zimmer auf und ab, und da er sich wieder allein sah, ging er zur Türe des Kabinetts und rief mit leiser Stimme: „Lotte! Lotte! nur noch ein Wort, ein Lebewohl!“ Sie schwieg, er harrte – und bat – und harrte, dann riß er sich weg und rief: „Leb wohl, Lotte! auf ewig leb wohl!“

Er kam ans Stadttor. Die Wächter, die ihn schon gewohnt waren, ließen ihn stillschweigend hinaus, es stübte zwischen Regen und Schnee, und erst gegen eilfe klopfte er wieder. Sein Diener bemerkte, als Werther nach Hause kam, daß seinem Herrn der Hut fehlte. Er getraute sich nichts zu sagen, entkleidete ihn, alles war naß. Man hat nachher den Hut auf einem Felsen, der an dem Abhange des Hügels ins Tal sieht, gefunden, und es ist unbegreiflich, wie er ihn in einer finstern, feuchten Nacht, ohne zu stürzen, erstiegen hat.

Er legte sich zu Bette und schlief lange. Der Bediente fand ihn schreiben, als er ihm den andern Morgen auf sein Rufen den Kaffee brachte. Er schrieb folgendes am Briefe an Lotten:

„Zum letzten Male denn, zum letzten Male schlag ich diese Augen auf, sie sollen, ach, die Sonne nicht mehr sehen, ein trüber, neblichter Tag hält sie bedeckt. So traure denn, Natur, dein Sohn, dein Freund, dein Geliebter naht sich seinem Ende. Lotte, das ist ein Gefühl ohnegleichen, und doch kommt's dem dämmernden Traume am nächsten, zu sich zu sagen: das ist der letzte Morgen. Der letzte! Lotte, ich habe keinen Sinn vor das Wort: der letzte! Steh ich nicht da in meiner ganzen Kraft, und morgen lieg ich ausgestreckt und schlaff am Boden. Sterben! Was heißt das? Sieh, wir träumen, wenn wir vom Tode reden. Ich hab manchen sterben sehen; aber so eingeschränkt ist die Menschheit, daß sie für ihres Daseins Anfang und Ende keinen Sinn hat. Jetzt noch mein, dein! dein! o Geliebte, und einen Augenblick – getrennt, geschieden – vielleicht auf ewig. – Nein, Lotte, nein – Wie kann ich vergehen, wie kannst du vergehen, wir sind ja! – Vergehen! – Was heißt das? das ist wieder ein Wort! ein leerer Schall ohne Gefühl für mein Herz. – – Tot, Lotte! Eingescharrt der kalten Erde, so eng, so finster! – Ich hatte eine Freundin, die mein Alles war meiner hülflosen Jugend, sie starb, und ich folgte ihrer Leiche und stand an dem Grabe. Wie sie den Sarg hinunterließen und die Seile schnurrend unter ihm weg- und wieder heraufschnellten, dann die erste Schaufel hinunterschollerte und die ängstliche Lade einen dumpfen Ton wiedergab und dumpfer und immer dumpfer und endlich bedeckt war! – Ich stürzte neben das Grab hin – Ergriffen, erschüttert, geängstet, zerrissen mein Innerstes, aber ich wußte nicht, wie mir geschah, – wie mir geschehen wird – Sterben! Grab! Ich verstehe die Worte nicht!

O vergib mir! vergib mir! Gestern! Es hätte der letzte Augenblick meines Lebens sein sollen. O du Engel! zum ersten Male, zum ersten Male ganz ohne Zweifel durch mein innig Innerstes durchglühte mich das Wonnegefühl: Sie liebt mich! Sie liebt mich. Es brennt noch auf meinen Lippen das heilige Feuer, das von den deinigen strömte, neue, warme Wonne ist in meinem Herzen. Vergib mir, vergib mir.

Ach ich wußte, daß du mich liebtest, wußte es an den ersten seelenvollen Blicken, an dem ersten Händedruck, und doch, wenn ich wieder weg war, wenn ich Alberten an deiner Seite sah, verzagt ich wieder in fieberhaften Zweifeln.

Erinnerst du dich der Blumen, die du mir schicktest, als du in jener fatalen Gesellschaft mir kein Wort sagen, keine Hand reichen konntest, o ich habe die halbe Nacht davor gekniet, und sie versiegelten mir deine Liebe. Aber ach! diese Eindrücke gingen vorüber, wie das Gefühl der Gnade seines Gottes allmählich wieder aus der Seele des Gläubigen weicht, die ihm mit ganzer Himmelsfülle im heiligen sichtbaren Zeichen gereicht ward.

Alles das ist vergänglich, keine Ewigkeit soll das glühende Leben auslöschen, das ich gestern auf deinen Lippen genoß, das ich in mir fühle. Sie liebt mich! Dieser Arm hat sie umfaßt, diese Lippen auf ihren Lippen gezittert, dieser Mund am ihrigen gestammelt. Sie ist mein! du bist mein! ja, Lotte, auf ewig!

Und was ist das? daß Albert dein Mann ist! Mann? – das wäre denn für diese Welt – und für diese Welt Sünde, daß ich dich liebe, daß ich dich aus seinen Armen in die meinigen reißen möchte? Sünde? Gut! und ich strafe mich davor: Ich hab sie in ihrer ganzen Himmelswonne geschmeckt, diese Sünde, habe Lebensbalsam und Kraft in mein Herz gesaugt, du bist von dem Augenblicke mein! Mein, o Lotte. Ich gehe voran! Geh zu meinem Vater, zu deinem Vater, dem will ich's klagen, und er wird mich trösten, bis du kommst, und ich fliege dir entgegen und fasse dich und bleibe bei dir vor dem Angesichte des Unendlichen in ewigen Umarmungen.

Ich träume nicht, ich wähne nicht! nah am Grabe ward mir's heller. Wir werden sein, wir werden uns wiedersehn! Deine Mutter sehn! ich werde sie sehen, werde sie finden, ach und vor ihr all mein Herz ausschütten. Deine Mutter. Dein Ebenbild."

Gegen eilfe fragte Werther seinen Bedienten, ob wohl Albert zurückgekommen sei. Der Bediente sagte: ja, er habe dessen Pferd dahinführen sehn. Drauf gibt ihm der Herr ein offenes Zettelchen des Inhalts:

„Wollten Sie mir wohl zu einer vorhabenden Reise Ihre Pistolen leihen? Leben Sie recht wohl."

Die liebe Frau hatte die letzte Nacht wenig geschlafen, ihr Blut war in einer fieberhaften Empörung, und tausenderlei Empfindungen zerrütteten ihr Herz. Wider ihren Willen fühlte sie tief in ihrer Brust das Feuer von Werthers Umarmungen, und zugleich stellten sich ihr die Tage ihrer unbefangenen Unschuld, des sorglosen Zutrauens auf sich selbst in doppelter Schöne dar, es ängstigten sie schon zum voraus die Blicke ihres Manns und seine halb verdrüßlich, halb spöttische Fragen, wenn er Werthers Besuch erfahren würde; sie hatte sich nie verstellt, sie hatte nie gelogen, und nun sah sie sich zum erstenmal in der unvermeidlichen Notwendigkeit; der Widerwillen, die Verlegenheit, die sie dabei empfand, machte die Schuld in ihren Augen größer, und doch konnte sie den Urheber davon weder hassen noch sich versprechen, ihn nie wiederzusehn. Sie weinte bis gegen Morgen, da sie in einen matten Schlaf versank, aus dem sie sich kaum aufgerafft und angekleidet hatte, als ihr Mann zurückkam, dessen Gegenwart ihr zum erstenmal ganz unerträglich war; denn indem sie zitterte, er würde das Verweinte, Überwachte ihrer Augen und ihrer Gestalt entdecken, ward sie noch verwirrter, bewillkommte ihn mit einer heftigen Umarmung, die mehr Bestürzung und Reue als eine auffahrende Freude ausdrückte, und eben dadurch machte sie die Aufmerksamkeit Albertens rege, der, nachdem er einige Briefe und Pakets erbrochen, sie ganz trocken fragte, ob sonst nichts vorgefallen, ob niemand dagewesen wäre? Sie antwortete ihm stokkend, Werther seie gestern eine Stunde gekommen. „Er nimmt seine Zeit gut", versetzt' er und ging nach seinem Zimmer. Lotte war eine Viertelstunde allein geblieben. Die Gegenwart des Mannes, den sie liebte und ehrte, hatte einen neuen Eindruck in ihr Herz gemacht. Sie erinnerte sich all seiner Güte, seines Edelmuts, seiner Liebe und schalt sich, daß sie es ihm so übel gelohnt habe. Ein unbekannter Zug reizte sie, ihm zu folgen, sie nahm ihre Arbeit, wie sie mehr getan hatte, ging nach seinem Zimmer und fragte, ob er was bedürfte; er antwortete: „Nein!", stellte sich an Pult, zu schreiben, und sie setzte sich nieder, zu stricken. Eine Stunde waren sie auf diese Weise nebeneinander, und als Albert etlichemal in der Stube auf und ab ging und Lotte ihn anredete, er aber wenig oder nichts drauf gab und sich wieder an Pult stellte, so verfiel sie in eine Wehmut, die ihr um desto ängstlicher ward, als sie solche zu verbergen und ihre Tränen zu verschlucken suchte.

Die Erscheinung von Werthers Knaben versetzte sie in die größte Verlegenheit, er überreichte Alberten das Zettelchen, der sich ganz kalt nach seiner Frau wendete und sagte: „Gib ihm die Pistolen." – „Ich laß ihm glückliche Reise wünschen", sagt' er zum Jungen. Das fiel auf sie wie ein Donnerschlag. Sie schwankte aufzustehn. Sie wußte nicht, wie ihr geschah. Langsam ging sie nach der Wand, zitternd nahm sie sie herunter, putzte den Staub ab und zauderte und hätte noch lang gezögert, wenn nicht Albert durch einen fragenden Blick: was denn das geben sollte? sie gedrängt hätte. Sie gab das unglückliche Gewehr dem Knaben, ohne ein Wort vorbringen zu können, und als der zum Hause drauß war, machte sie ihre Arbeit zusammen, ging in ihr Zimmer in dem Zustand des unaussprechlichsten Leidens. Ihr Herz weissagte ihr alle Schröcknisse. Bald war sie im Begriff, sich zu den Füßen ihres Mannes zu werfen, ihm alles zu entdecken, die Geschichte des gestrigen Abends, ihre Schuld und ihre Ahndungen. Dann sah sie wieder keinen Ausgang des Unternehmens, am wenigsten konnte sie hoffen, ihren Mann zu einem Gange nach Werthern zu bereden. Der Tisch ward gedeckt, und eine gute Freundin, die nur etwas zu fragen kam und die Lotte nicht wegließ, machte die Unterhaltung bei Tische erträglich, man zwang sich, man redete, man erzählte, man vergaß sich.

Der Knabe kam mit den Pistolen zu Werthern, der sie ihm mit Entzücken abnahm, als er hörte, Lotte habe sie ihm gegeben. Er ließ sich ein Brot und Wein bringen, hieß den Knaben zu Tisch gehn und setzte sich nieder, zu schreiben.

„Sie sind durch deine Hände gegangen, du hast den Staub davon geputzt, ich küsse sie tausendmal, du hast sie berührt. Und du, Geist des Himmels, begünstigst meinen Entschluß! Und du, Lotte, reichst mir das Werkzeug, du, von deren Händen ich den Tod zu empfangen wünschte und ach! nun empfange. O ich habe meinen Jungen ausgefragt, du zittertest, als du sie ihm reichtest, du sagtest kein Lebewohl – Weh! Weh! – kein Lebewohl! – Solltest du dein Herz für mich verschlossen haben, um des Augenblicks willen, der mich auf ewig an dich befestigte. Lotte, kein Jahrtausend vermag den Eindruck auszulöschen! Und ich fühl's, du kannst den nicht hassen, der so für dich glüht."

Nach Tische hieß er den Knaben alles vollends einpacken, zerriß viele Papiere, ging aus und brachte noch kleine Schulden in Ordnung. Er kam wieder nach Hause, ging wieder aus, vors Tor, ohngeachtet des Regens, in den gräflichen Garten, schweifte weiter in der Gegend umher und kam mit einbrechender Nacht zurück und schrieb.

„Wilhelm, ich habe zum letzten Male Feld und Wald und den Himmel gesehn. Leb wohl auch du! Liebe Mutter, verzeiht mir! Tröste sie, Wilhelm. Gott segne euch! Meine Sachen sind all in Ordnung. Lebt wohl! Wir sehen uns wieder und freudiger."

„Ich habe dir übel gelohnt, Albert, und du vergibst mir. Ich habe den Frieden deines Hauses gestört, ich habe Mißtrauen zwischen euch gebracht. Leb wohl, ich will's enden. O daß ihr glücklich wäret durch meinen Tod! Albert! Albert! mache den Engel glücklich. Und so wohne Gottes Segen über dir!"

Er kramte den Abend noch viel in seinen Papieren, zerriß vieles und warf's in Ofen, versiegelte einige Päcke mit den Adressen an Wilhelmen. Sie enthielten kleine Aufsätze, abgerissene Gedanken, deren ich verschiedene gesehen habe; und nachdem er um zehn Uhr im Ofen nachlegen und sich einen Schoppen Wein geben lassen, schickte er den Bedienten, dessen Kammer wie auch die Schlafzimmer der Hausleute weit hinten hinaus waren, zu Bette, der sich denn in seinen Kleidern niederlegte, um früh bei der Hand zu sein; denn sein Herr hatte gesagt, die Postpferde würden vor sechse vors Haus kommen.

„Nach eilfe

Alles ist so still um mich her, und so ruhig meine Seele; ich danke dir, Gott, der du diesen letzten Augenblicken diese Wärme, diese Kraft schenkest.

Ich trete ans Fenster, meine Beste, und seh und sehe noch durch die stürmenden, vorüberfliehenden Wolken einzelne

Sterne des ewigen Himmels! Nein, ihr werdet nicht fallen! Der Ewige trägt euch an seinem Herzen und mich. Ich sah die Deichselsterne des Wagens, des liebsten unter allen Gestirnen. Wenn ich nachts von dir ging, wie ich aus deinem Tore trat, stand er gegenüber! Mit welcher Trunkenheit hab ich ihn oft angesehen! Oft mit aufgehabenen Händen ihn zum Zeichen, zum heiligen Merksteine meiner gegenwärtigen Seligkeit gemacht, und noch – O Lotte, was erinnert mich nicht an dich! Umgibst du mich nicht, und hab ich nicht gleich einem Kinde ungenügsam allerlei Kleinigkeiten zu mir gerissen, die du Heilige berührt hattest!

Liebes Schattenbild! Ich vermache dir's zurück, Lotte, und bitte dich, es zu ehren. Tausend, tausend Küsse hab ich draufgedrückt, tausend Grüße ihm zugewinkt, wenn ich ausging oder nach Hause kam.

Ich habe deinen Vater in einem Zettelchen gebeten, meine Leiche zu schützen. Auf dem Kirchhofe sind zwei Lindenbäume, hinten im Ecke nach dem Felde zu, dort wünsch ich zu ruhen. Er kann, er wird das für seinen Freund tun. Bitt ihn auch. Ich will frommen Christen nicht zumuten, ihren Körper neben einem armen Unglücklichen niederzulegen. Ach ich wollte, ihr begrübt mich am Wege oder im einsamen Tale, daß Priester und Levite vor dem bezeichnenden Steine sich segnend vorüberging und der Samariter eine Träne weinte.

Hier, Lotte! Ich schaudere nicht, den kalten, schröcklichen Kelch zu fassen, aus dem ich den Taumel des Todes trinken soll! Du reichtest mir ihn, und ich zage nicht. All! all! so sind all die Wünsche und Hoffnungen meines Lebens erfüllt! So kalt, so starr an der ehernen Pforte des Todes anzuklopfen.

Daß ich des Glücks hätte teilhaftig werden können! Für dich zu sterben, Lotte, für dich mich hinzugeben. Ich wollte mutig, ich wollte freudig sterben, wenn ich dir die Ruhe, die Wonne deines Lebens wieder schaffen könnte; aber ach, das ward nur wenig Edlen gegeben, ihr Blut für die Ihrigen zu vergießen und durch ihren Tod ein neues, hundertfältiges Leben ihren Freunden anzufachen.

In diesen Kleidern, Lotte, will ich begraben sein. Du hast sie berührt, geheiligt. Ich habe auch darum deinen Vater gebeten. Meine Seele schwebt über dem Sarge. Man soll meine Taschen nicht aussuchen. Diese blaßrote Schleife, die du am Busen hattest, als ich dich zum ersten Male unter deinen Kindern fand. O küsse sie tausendmal und erzähl ihnen das Schicksal ihres unglücklichen Freunds. Die Lieben, sie wimmeln um mich. Ach, wie ich mich an dich schloß! Seit dem ersten Augenblicke dich nicht lassen konnte! Diese Schleife soll mit mir begraben werden. An meinem Geburtstage schenktest du mir sie! Wie ich das all verschlang – Ach, ich dachte nicht, daß mich der Weg hierher führen sollte! – – Sei ruhig! ich bitte dich, sei ruhig! –

Sie sind geladen – es schlägt zwölfe! – So sei's denn – Lotte! Lotte, leb wohl! Leb wohl!"

Ein Nachbar sah den Blick vom Pulver und hörte den Schuß fallen, da aber alles still blieb, achtete er nicht weiter drauf.

Morgens um sechse tritt der Bediente herein mit dem Lichte, er findet seinen Herrn an der Erde, die Pistole und Blut. Er ruft, er faßt ihn an, keine Antwort, er röchelt nur noch. Er lauft nach den Ärzten, nach Alberten. Lotte hörte die Schelle ziehen, ein Zittern ergreift all ihre Glieder, sie weckt ihren Mann, sie stehen auf, der Bediente bringt heulend und stotternd die Nachricht, Lotte sinkt ohnmächtig vor Alberten nieder.

Als der Medikus zu dem Unglücklichen kam, fand er ihn an der Erde ohne Rettung, der Puls schlug, die Glieder waren alle gelähmt, über dem rechten Auge hatte er sich durch den Kopf geschossen, das Gehirn war herausgetrieben. Man ließ ihm zum Überflusse eine Ader am Arme, das Blut lief, er holte noch immer Atem.

Aus dem Blut auf der Lehne des Sessels konnte man schließen, er habe sitzend vor dem Schreibtische die Tat vollbracht. Dann ist er heruntergesunken, hat sich konvulsivisch um den Stuhl herumgewälzt, er lag gegen das Fenster entkräftet auf dem Rücken, war in völliger Kleidung, gestiefelt, im blauen Frack mit gelber Weste.

Das Haus, die Nachbarschaft, die Stadt kam in Aufruhr. Albert trat herein. Werthern hatte man aufs Bett gelegt, die Stirne verbunden, sein Gesicht schon wie eines Toten, er rührte kein Glied, die Lunge röchelte noch fürchterlich, bald schwach, bald stärker, man erwartete sein Ende.

Von dem Weine hatte er nur ein Glas getrunken. „Emilia Galotti" lag auf dem Pulte aufgeschlagen.

Von Alberts Bestürzung, von Lottens Jammer laßt mich nichts sagen.

Der alte Amtmann kam auf die Nachricht hereingesprengt, er küßte den Sterbenden unter den heißesten Tränen. Seine ältsten Söhne kamen bald nach ihm zu Fuße, sie fielen neben dem Bette nieder im Ausdruck des unbändigsten Schmerzens, küßten ihm die Hände und den Mund, und der ältste, den er immer am meisten geliebt, hing an seinen Lippen, bis er verschieden war und man den Knaben mit Gewalt wegriß. Um zwölfe mittags starb er. Die Gegenwart des Amtmanns und seine Anstalten tischten einen Auflauf. Nachts gegen eilfe ließ er ihn an die Stätte begraben, die er sich erwählt hatte, der Alte folgte der Leiche und die Söhne. Albert vermocht's nicht. Man fürchtete für Lottens Leben. Handwerker trugen ihn. Kein Geistlicher hat ihn begleitet.

NACHWORT

„Die Leiden des jungen Werthers" – das ist das erste Stück deutscher Literatur, das Weltruhm erlangen konnte. Und es ist zugleich dasjenige Werk, mit dem Goethe im internationalen Raum wie mit keinem andern zu Lebzeiten und darüber hinaus identifiziert worden ist. Als Verfasser des unglückseligen „Werther" spricht man den Dichter auf seiner italienischen Reise an; der Roman bildet den Hauptstoff der Unterredung, die Goethe im Oktober 1808 in Erfurt mit dem Weltbeherrscher Napoleon führt, der den „Werther" siebenmal gelesen hat; als im selben Jahr der berühmte Schauspieler Talma Goethe nach Paris einlädt, tut er es mit dem Bemerken, ganz Frankreich würde ihn beneiden, „den Autor von ‚Werther' bei sich zu besitzen" – im übrigen übertrage man den Roman stets von neuem ins Französische und er besitze „wie vor dreißig Jahren den Reiz der Neuheit"[1].

Seit der ersten französischen Übersetzung von 1775 sind der Übertragungen des schlanken Werkes in alle europäischen Sprachen Legion. Seiner erstaunlichen weltliterarischen Anerkennung gesellt sich eine andere. Den „Werther" nehmen nicht allein Leser aus den gebildeten Kreisen zur Kenntnis. Des Jünglings trauriges Schicksal wird durch viele Romänchen, Dramolette und Bänkelballaden selbst halb- und analphabetischen Schichten der Bevölkerung nahegebracht, und dies bis tief ins 19. Jahrhundert hinein. Auch die Mode bedient sich der leidvollen Dreiecksgeschichte, mancher junge Mann kleidet sich in blauen Rock, gelbe Hosen und braune Stiefel, Mädchen bevorzugen weißes Kleid mit blaßroten Schleifen; ein Werther-Parfüm wird benutzt, Porzellantassen mit Lotte- und

[1] Vgl. Goethes Briefwechsel mit Georg und Caroline Sartorius. Herausgegeben von E. v. Monroy. Weimar 1931. S. 75.

Wertherporträts ebenso geschmückt wie Näschereigefäße mit eindrucksvollen Romanszenen. Angesichts eines derartigen Widerhalles nimmt sich merkwürdig aus, wie vorsichtig Goethe selber mit dem Roman umgeht. Wir wissen nicht, daß er jemals daraus, wie aus andern Werken, vorgelesen hätte. Wiedergelesen hat er den Roman nur zur Vorbereitung der Neuausgabe von 1787 im Rahmen der gesammelten Werke. Ungern rührte er in Unterhaltungen an dieses Buch; „es sind lauter Brandraketen", äußerte er später einmal gegen Eckermann.

Vor uns liegt ein Text, dem an sozialem wie geographischem Verbreitungsgrad nur wenige Werke der Literatur gleichkommen, ein Werk, das der tiefsinnigen Ausdeutung ebenso offenstand wie der grobkörnigen Trivialisierung, das Parodie gleichermaßen erweckte wie fromme Nachahmung, das sentimentale Identifikation ebenso auf sich gezogen hat wie brüske Ablehnung, moralisches Anathema und behördliches Verbot. Was so im Guten wie im Bösen den Nerv seiner Zeit traf, des einen Erfahrung bestärkte und des andern Befürchtung weckte: das war zum nicht geringen Teil aus dem persönlichen Erleben eines jungen Mannes Anfang der Zwanzig hervorgegangen. Es hätte freilich seinen Erfolg nicht gefunden, wäre jenes Erleben nicht repräsentativ gewesen für das Leiden einer ganzen bürgerlichen Generation an der Zeit und ihren Verhältnissen. Goethe zur Situation, in die seine Selbstmordgeschichte hineinsprach: „Von unbefriedigten Leidenschaften gepeinigt, von außen zu bedeutenden Handlungen keineswegs angeregt, in der einzigen Aussicht, uns in einem schleppenden, geistlosen bürgerlichen Leben hinhalten zu müssen, befreundete man sich in unmutigem Übermut mit dem Gedanken, das Leben, wenn es einem nicht mehr anstehe, nach eignem Belieben allenfalls verlassen zu können, und half sich damit über die Unbilden und Langeweile der Tage notdürftig genug hin. Diese Gesinnung war so allgemein, daß eben ‚Werther' deswegen die große Wirkung tat, weil er überall anschlug und das Innere eines kranken jugendlichen Wahns öffentlich und faßlich darstellte." („Dichtung und Wahrheit", 3. Buch)

Am 25. Mai 1772 zeichnet sich Johann Wolfgang Goethe in die Matrikel des Reichskammergerichts zu Wetzlar ein. In der engen Stadt findet er Umgang mit jungen Juristenkollegen, von denen einige auch schriftstellern. Er trifft gelegentlich den Braunschweiger Legationssekretär Carl Wilhelm Jerusalem, Sohn eines berühmten aufgeklärten Theologen und Predigers. Bei einem Ball im benachbarten Volpertshausen am 9. Juni lernt Goethe Charlotte Buff kennen, die 1753 geborene Tochter des verwitweten Amtmanns Heinrich Adam Buff. Er verliebt sich in sie. Auch Charlottes Verlobter ist anwesend: Johann Christian Kestner (geb. 1741), Hannoveraner Gesandtschaftssekretär. Die Werbung Goethes um Charlotte Buff findet ihre Barriere in jener Verlobung; nach Kestners Tagebuchaufzeichnungen weist die junge Buff den Frankfurter darauf hin, „daß er nichts als Freundschaft hoffen dürfte“[2]. Das Verhältnis der Drei bleibt nicht ohne Spannungen, und diese bilden mit den Anlaß, daß Goethe 1772 am „11. September, morgens um 7 Uhr“ Wetzlar verläßt. Die Reise das Lahntal abwärts mündet zunächst in Ehrenbreitstein bei Koblenz. Goethe besucht Sophie von Laroche und ihre Tochter Maximiliane, die ihn beeindruckt. Nach einigen Tagen setzt er die Reise nach Frankfurt fort.

Anfang November 1772 erhält Goethe von Kestner einen ausführlichen Bericht über den Selbstmord des jungen Jerusalem. Einige Sätze daraus seien wiedergegeben: „Jerusalem ist die ganze Zeit seines hiesigen Aufenthalts mißvergnügt gewesen, es sey nun überhaupt wegen der Stelle, die er hier bekleidete, und daß ihm gleich Anfangs (bey Graf Bassenheim) der Zutritt in den großen Gesellschaften auf eine unangenehme Art versagt worden, oder insbesondere wegen des Braunschweigischen Gesandten, mit dem er bald nach seiner Ankunft kundbar heftige Streitigkeiten hatte, die ihm Verweise vom Hofe zuzogen und noch weitere verdrießliche Fol-

[2] Kestners Tagebucheinträge vom 16. August und 11. September 1772 sind abgedruckt in: Goethes Werke. Hamburger Ausgabe. Band VI. Herausgegeben von E. Trunz. 6. Auflage. Hamburg 1965. S. 514 f.

gen für ihn gehabt haben. [...] Neben dieser Unzufriedenheit war er auch in des pfälz. Sekret. H... Frau verliebt. Ich glaube nicht, daß diese zu dergleichen Galanterien aufgelegt ist, mithin, da der Mann noch dazu sehr eifersüchtig war, mußte diese Liebe vollends seiner Zufriedenheit und Ruhe den Stoß geben. Er entzog sich allezeit der menschlichen Gesellschaft und den übrigen Zeitvertreiben und Zerstreuungen, liebte einsame Spaziergänge im Mondenscheine, ging oft viele Meilen weit und hieng da seinem Verdruß und seiner Liebe ohne Hoffnung nach [...].“[3]

Jerusalem erschoß sich am frühen Morgen des 30. Oktober 1772, die Selbstmordwaffe hatte er – angeblich „zu einer vorhabenden Reise“ – von Kestner entliehen. Dieses Detail geht mit andern Einzelheiten des Kestner-Berichtes in den Werther-Roman ein, den Goethe noch im Spätjahr 1772 plant. Vorerst freilich unterbleibt die Ausführung des Plans. Die Schreibzündung erfolgt im Januar des übernächsten Jahres durch einen leidigen Zwischenfall im Hause des Frankfurter Kaufmanns Brentano. Dieser Brentano hat im Januar 1774 die um einundzwanzig Jahre jüngere Maximiliane von Laroche geheiratet; Goethe, Maximiliane schon seit Koblenz zugeneigt, reizt mit seinen fortgesetzten Besuchen die Eifersucht des Ehemanns, ein erregter Wortwechsel läßt Goethe das Brentanosche Haus künftig meiden.

Die anderweitig versprochene Geliebte, der eifersüchtige Ehemann, die Verzweiflung durch aussichtslose Leidenschaft und der todbringende Verdruß wegen gesellschaftlicher Herabsetzung – hier sind (aus Goethes Wetzlarer und Frankfurter Erlebnissen und aus Jerusalems Geschichte) die wichtigsten Motive versammelt, die die äußere Fabel des „Werther“ bilden. Anfang Februar wird mit der Niederschrift begonnen,

[3] Goethe und Werther. Briefe Goethes, meistens aus seiner Jugendzeit, mit erläuternden Dokumenten. Herausgegeben von A. Kestner. Stuttgart und Berlin o. J. (1854). S. 47–55; hier zitiert nach: Die Leiden des jungen Werthers. Die bibliophilen Taschenbücher. Dortmund 1978. Anhang S. 2.

in weniger als zwei Monaten ist der Roman vollendet. Gedruckt wird er im Sommer und zur Michaelismesse desselben Jahres anonym von der Weygandschen Buchhandlung in Leipzig ausgegeben.

Eine im Grunde banale Geschichte. Um so erstaunlicher der Erfolg: der Verleger mußte noch im selben Jahr, 1774, einen zweiten Druck veranstalten, 1775 erscheint eine geringfügig geänderte Neuauflage, dasselbe Jahr sieht auch bereits acht unrechtmäßige Nachdrucke. Das Echo ist nirgends neutral. Einige von Goethes Bekannten suchen, als handelte es sich um einen Schlüsselroman, halb hämisch, halb sentimentaler Neugier voll, nach den lebendigen Vorbildern der Romanpersonen. Kestner ist verstimmt, daß Züge seiner selbst und seiner Frau Charlotte (man hatte im April 1773 geheiratet) allzu deutlich durchscheinen. Die der Sturm-und-Drang-Generation zugehörigen oder ihrer Lebensauffassung zugeneigten Autoren brechen in hymnisches Lob aus. „Da sitz ich mit zerfloßnem Herzen, mit klopfender Brust und mit Augen, aus welchen wollüstiger Schmerz tröpfelt, und sag Dir, Leser, daß ich eben ‚Die Leiden des jungen Werthers' von meinem lieben Goethe – gelesen? – nein, verschlungen habe", so äußert sich Schubart. „Werther! Werther! Werther!" ruft Friedrich Leopold Stolberg aus, „o welch ein Büchlein. So hat noch kein Roman mein Herz gerührt!" Selbst der sehr berühmte, bereits weit in den Vierzigern stehende königlich großbritannische Leibarzt Johann Georg Zimmermann bekennt, die Lektüre des Romans habe ihn dermaßen erregt, daß er zwischen den ersten und den zweiten Teil eine Lesepause von zwei Wochen einlegen mußte[4]. Die seelischen Erschütterungen durch den Roman bezeugen auch andere wissens- und ämtergereifte Männer. So der aufgeklärte Physiokrat Johann August

[4] Über Schubarts, Stolbergs und Zimmermanns Reaktionen vgl. Johann Wilhelm Appell: Werther und seine Zeit. 4. Auflage. Oldenburg 1896. S. 139, S. 5; auch über die Werther-Mode und die weitere in- und ausländische Rezeption des Romans erhält man hier umfassende Auskünfte.

Schlettwein, der daraus die „Notwendigkeit der Censur" gegen derartige Werke ableitet, denn, meint er, sie „entflammen die Leidenschaften, erschlaffen alle Kräfte zur wohlthätigen Arbeit für die menschliche Gesellschaft, und machen unaufhaltbar die Menschen und Staaten unglücklicher". Der Aufklärer Ernesti, Dekan der theologischen Fakultät zu Leipzig, stellt gar den Antrag auf Verbot des „Werther"; dieses erfolgt Anfang 1775 tatsächlich, hat allerdings eine energisch gesteigerte Nachfrage nach dem Werk zur Folge[5].

Der Roman gefährdet die getreuliche bürgerliche Pflichterfüllung gegen sich selbst, den Mitmenschen und die Gemeinschaft; er verführt zu seelischer Verwirrung und egoistischer Selbstverhaftung – diesem Urteil stimmen so bekannte aufgeklärte Schriftsteller wie Friedrich Nicolai, Gotthold Ephraim Lessing oder der Pädagoge Joachim Heinrich Campe bei. Darum reagiert Nicolai mit einer parodistischen Fortsetzung über die „Freuden des jungen Werthers" (1775), darum wünscht sich Lessing eine zynische Nachschrift über Werthers läppischen Charakter, darum empfiehlt Campe seinen Schülern, Nicolais Anti-Werther gleichsam als Gegengift mit dem Original zusammenzubinden. Von den Schimpfkanonaden, womit die kirchliche Orthodoxie den Roman, diese „Lockspeise des Satans" (so der Hamburger Pastor Goeze[6]), bedenkt, sei hier im weiteren abgesehen; genug, wenn erwähnt wird, daß die Vorschläge zur Heilung wertherischer Charaktere über Prügel und Einsperren ins Arbeitshaus bis zur Kastration gehen.

Die Erregung der Gemüter rührt zu einem guten Teil daher, daß der Roman die Erwartung düpiert, die das zeitgenössische Publikum, vorab das aufgeklärte, an ein Werk die-

[5] Zu Schlettwein und Ernesti vgl. Georg Jäger: Die Wertherwirkung. Ein rezeptionsästhetischer Modellfall. In: Historizität in Sprach- und Literaturwissenschaft. München 1974. S. 389–409; hier S. 399 f.

[6] J. M. Goezes „Kurze aber nothwendige Erinnerungen über die Leiden des jungen Werthers" sind abgedruckt im Anhang zu Klaus R. Scherpe: Werther und Wertherwirkung. Bad Homburg, Berlin und Zürich 1970 (vor allem S. 7).

ser Gattung richtet. Der Wechsel der säkularen Leseöffentlichkeit von geistlich-erbaulicher zu einer weltlich-fiktionalen Literatur erfolgt seit der Mitte des 18. Jahrhunderts vornehmlich über den Roman und vor allem andern über den aus England stammenden Briefroman. *Richardsons* sentimental-psychologische Briefromane werden in Deutschland viel gelesen. Sie bilden auch das Muster für ein damals berühmtes Werk: „Sophiens Reise von Memel nach Sachsen" (1769–73) von Johann Timotheus *Hermes*, das die Zeit weitgehend als ein Buch pastoraler Erbauung und moralischer Anweisung verstand[7]. Ein solches Kompendium der Tugend und der bürgerlichen Tüchtigkeit sollte der Roman nach dem Wunsch und Verständnis der Aufklärer sein. Die Pflichten gegen sich und seine Nächsten, die Ausbildung und der zielgerechte Einsatz der Talente zum Erwerb und Erhalt von Eigentum, zur Vermehrung des Familienerbes, zum Gewinn von Ansehen – das sollte, wie vordem die Moralischen Wochenschriften, nunmehr der Roman lehren. Seine Figuren waren entweder als böse und scheiternde zur Abschreckung konzipiert oder als strebsame und erfolgreiche zur Nachfolge entworfen. Im Briefroman (wie wenig später im Dialogroman) trug man den Kampf zwischen These und Gegenthese aus; die vernünftige, bürgerlicher Tugendvorstellung entsprechende Position siegte.

Daß Goethe mit derartigen Vormeinungen seines Publikums rechnet, beweist die Vorrede des fiktiven Herausgebers. Für den „Geist" und den „Charakter" des Helden fordert er des Lesers „Bewunderung und Liebe", weckt also die Lesehoffnung auf ein Vorbild nach dem moralischen Zuschnitt aufgeklärter Bürgerlichkeit. Und mit dem Ratschlag: „Laß das Büchlein deinen Freund sein" stellt er einen erbaulichen Seelentröster in Aussicht. So ruft er bestimmte Erwartungen auf, um sie im Verfolg des Romangeschehens sukzessive zu enttäuschen.

[7] Vgl. Jäger: Wertherwirkung. S. 403.

Denn Werther ist nun alles andere als ein Tugendmuster, ist im bürgerlichen Sinne eher ein Versager. Seine malerischen Talente vergräbt er, ist unfähig zum Gründen einer Familie, läuft aus einer Beschäftigung davon, um mit dem Gedanken an eine andere, den Kriegsdienst (25. Mai 1772), zu tändeln. Schon bald äußert er seltsam anstößige Meinungen über den „Philister" und seine Vernunft in Liebesdingen (26. Mai), rümpft die Nase über bürgerlichen Gartenfleiß (ebenda), liebäugelt mit der Möglichkeit des Freitods (22. Mai) und denkt sich seinen Nebenbuhler recht unverhohlen aus dem Leben (21. August). Und solche Meinungen werden von keinen Gegenbriefen sinnfällig erwidert, auch werden sie nicht entschieden durch den Herausgeber korrigiert, als Fehlurteile widerlegt oder eingeschränkt. Zwar berichtet Werther selbst von Gesprächen, die er geführt, so z. B. von Kontroversen mit Albert über die Frage des Selbstmords; die referierten Positionen bleiben jedoch nebeneinander bestehen ohne Bevorzugung der einen und Zurückweisung der entgegengesetzten. Dem kommt die spezifische Form des Goetheschen Romans entgegen: ein eigentlicher Brief*dialog* findet ja nicht statt. Nur eine einzige Person liefert Briefe, der Hauptpartner Wilhelm ist mit seinen Antworten, Einreden, Vorschlägen allein aus Werthers eigenen Schreiben erschließbar. Diese einstromige Briefstellerei begünstigt die Fiktion der unmittelbaren Seelenaussprache, sie läßt Distanz des Lesers schwerer zu, als es die Präsentation einer mehrseitigen Korrespondenz erlaubte. Die Gefühlsausbrüche und ichbezogenen Reflexionen überwiegen zudem noch die Berichte und Schilderungen, welche der Briefsteller gibt. Nur schemenhaft tauchen der familiäre Hintergrund Werthers und eine Erbschaftsangelegenheit der Vorfabel auf. Die empfindungsvollen Betrachtungen färben auch diese Berichte ein und ziehen den Leser in ihren zunehmend fatalen Bann. So sehr wird er gefesselt, daß ihm wohl die kompositorischen Schnitzer des Romans entgehen (etwa daß Werther am 15. März bereits von Fräulein B. erfahren haben will, was sie ihm erst am 16.

sagt) und er zu fragen vergißt, auf welchem Wege der „Herausgeber“ der Werther-Zeugnisse zu so tiefen Einblicken in die Seele Lottes gelangt, wie er sie besonders gegen das Ende des Romans ausspricht. Derlei Inkonsequenzen gegenüber dem Gesetz der fiktiven Briefedition machen im Gegenteil das Engagement des Romanautors glaubhafter, welcher mit dem fiktiven Herausgeber und mit der Romangestalt selber verschmilzt. Sind sie doch auch für uns noch Indizien, daß kein kühl kalkulierender, sondern ein persönlich betroffener Kunstsinn die Niederschrift regiert.

Werther besteht darauf, sein Ich gegen die Zumutungen seiner Umwelt, gegen die Forderungen der Gesellschaft zu verwirklichen. Weit mehr als Verstand und Talent bedeutet ihm das „Herz“ (9. Mai). Er beruft sich auf die Unmittelbarkeit des Gefühls – und spricht dabei nicht allein den zarten Strebungen des Mitgefühls oder der ästhetischen Sensibilität das Daseinsrecht zu, er plädiert auch für den jähen Gefühlsausbruch, lebt den emotionalen Überschwang, verbeißt sich rechthaberisch sogar in Lebensekel und Überdruß; bis zur Höhe der selbstmörderischen Gewaltsamkeit rechtfertigt er die *passiones animi*. Das muß die aufgeklärten Anwälte des bürgerlichen Zartsinnes erschrecken.

Ebenso wenig gefällt ihnen, die um Ausgleich der regionalen Sprechweisen und um ihre Glättung im hochdeutschen Ausdruck bemüht sind, daß dialektale Redeweise und Umgangssprache in Wortwahl und Grammatik des Textes eindringen, daß sich niedere und mundartliche Ausdrücke („geiziger, rangiger Hund“, „Scharre des Breis“, „Quakelchen“, „wutsch“), Wortverschleifungen („ältste“, „dem's“) und emphatische Ausrufe breit machen, daß Sätze gleichsam gestammelt werden (10. Oktober). Werther praktiziert sehr bewußt eine Ausdrucksweise, die der öffentlich genehmigten Diktion widerspricht; bei seiner Sekretärsarbeit in der Residenz verläßt er die „hergebrachte Melodie“ des geläufig-normalen Satzbaus und schreibt „Inversionen“ (24. Dezember).

Seine Sprache, bei deren Korrektur durch den Vorgesetzten er „des Teufels werden" möchte, folgt dem Ideal Klopstocks und des Sturm und Drang. Sie will ungefilterte Expression der Affekte sein und wehrt sich gegen den zivilisierten Kanzleistil ebenso wie gegen den diplomatisch geschmeidigten des Bürgers unter absolutistischer Administration. Stimmführern des neuen Ausdrucksideals, namentlich Klopstock und Lavater, setzt der Roman Denksteine.

Das Idiom des Affekts ist nach Meinung des Sturm und Drang und seines Programmatikers Herder zugleich die Sprache des einfachen Volkes, aufbewahrt in seinen Spruchweisheiten, Liedern und Märchen. Abergläubischen und mythischen Vorstellungen wird in Werthers Berichten denn auch beträchtlicher Raum gegeben, ob er nun von der schönen Melusine erzählt, an das alte Märlein vom Magnetberg erinnert oder gar gerührt die bärtigende Kraft eines Mannskusses auf Mädchenwangen erwägt – in unmittelbarer Nachbarschaft übrigens zu jüdischen Propheten und einem christlichen Hauptsakrament (6. Juli). Das ist ein anderer Umgang mit der bildkräftigen Mentalität der unteren Schichten, als ihn die Aufklärung eines Wieland, Nicolai oder Musäus pflegt; denen dient jene als Vorlage ironischen Spieles, oft mit dem Zweck, den Leuten ihren Aberglauben gemachsam abzugewöhnen. Von solcher Pädagogik ist der „Werther" frei. Beim einfachen Volk, wie es ist, fühlt er sich am wohlsten. Stachelt die adlige Versammlung seine Feder zum Spott, gebildete Bürgerlichkeit sie zur Schelte, so malt er die Szenen schlichten Lebens demgegenüber in liebevollem Detail.

Es ist eine Gegenwelt, deren Lied Werther hier in antiken Tönen vernimmt und widertönt, ein Raum fern der Konvention einer ständisch geregelten und mit abgezirkelten Geschäften drängenden Gesellschaft; „Wie froh bin ich, daß ich weg bin!" – so lautet, auch darauf schmähend, Werthers erster Satz. „Die Stadt ist selbst unangenehm, dagegen rings umher eine unaussprechliche Schönheit der Natur." (4. Mai 1771)

Die Natur öffnet sich dem emphatischen Gefühl, scheint ein Ich in seiner Entschränkungslust aufnehmen zu wollen. Die rhythmisierten Passagen der Briefe vom 10. Mai und 18. August verdeutlichen die Gewalt der pantheistisch durchbebten Emotion. Bei der ländlichen Familie möchte Werther bleiben, möchte im einfachen kleinen Kreise die Welt der Amtspflichten und des zeremoniös geordneten Menschenumgangs vergessen. Der friedliche Pfarrhof voll Goldsmith'scher Atmosphäre ist für ihn, fern dem Forum scharfsinniger Dispute, ein Hort innigen Gedanken- und Gefühlstausches.

Aber das Glück ist zerbrechlich, der aufgesuchte Friede trügt. Die durch Ständedifferenz, durch Erwerbsstreben, Konkurrenz und Rationalität genormte Welt drängt überall nach. Unerfüllt bleibt die Liebesbeziehung Werthers zu Lotte, es unterjocht sie der beabsichtigte ordentliche Ehevertrag. Wichtig zu sehen, daß hier nicht allein Alberts Heiratsplan stört. Eine mannhafte Erklärung Werthers könnte möglicherweise die Auflösung des bestehenden Verlöbnisses herbeiführen und an seine Stelle ein neues zwischen Lotte und Werther setzen – Wilhelm schlägt das vor (8. August). Aber nichts scheint Werther für sein Gefühl mehr zu fürchten als die Zange der Ehekonvenienz. Lieber begibt er sich zurück ins Joch eines politischen Amtes, um freilich, ehe ein halbes Jahr verstrichen, um so heftiger auf sich zurückgeworfen zu werden durch einen Affront, der ihm unverwindbar bleibt.

Werthers Erfahrung, daß er im Zentrum der Herrschaft als Mensch in seiner Individualität nichts, die ständische Qualität hingegen alles gilt, treibt ihn auf die vordem gesuchten Glücks- und Zufluchtsflecken zurück. Hier aber hat die gefürchtete Welt bereits ihr Werk getan: Lotte ist das Ehebündnis eingegangen, die liebreizende ländliche Familie von Not, Krankheit und Tod gezeichnet, der Pfarrhof hat seine trauliche Schönheit verloren. An den letzteren Verheerungen tragen allerdings weder fürstliches Regiment noch aristokratischer Dünkel Schuld: Es ist die (republikanische) Schweiz, wo man dem Familienvater das Recht auf sein Erbe bestritten hat, und den Pfarrhof sanierte von seinem schattigen Baumbestand eine Pfarrherrin – Fanatikerin zugleich für Reinlichkeit und moderne rationalistische Theologie. Was in Werthers Sicht die Welt häßlich macht, menschlichem Gefühl und menschlicher Selbstverwirklichung nicht allein Verbindlichkeiten auferlegt, sondern Gitter setzt, das kommt aus mehr als *einer* politisch und sozial abteilbaren Richtung. Darum reibt er sich allerseits, kreidet dem hochadeligen Fürsten seine Langweiligkeit an, satirisiert die Arroganz des Landadels (15. März), beklagt bürgerliche Hast und Rechenhaftigkeit – und reibt sich selbst dabei auf. Funktional einschmiegen will sich Werther weder in die Welt als ständisch gegliederte noch als bürgerlich arbeitsteilige voll rationaler Emsigkeit. Sensibel gegen Häßlichkeit und Unrecht – ja überempfindlich bis zur Hasenherzigkeit, wie die zeitgenössische Kritik meinte[8] – spricht er gegen die Einvernahme durch das fordernde Gemeinwesen. Er besteht auf Selbstverwirklichung, entgrenzt geradezu dieses bürgerliche Postulat des 18. Jahrhunderts und widerstrebt den sozialen Rollen, welche die Zeit für seinesgleichen bereithält, bis zum paradoxen Preis der Selbstaufhebung. Solchermaßen desavouiert Werther einen Grundsatz, worin sich die Mehrheit der bürgerlichen Aufklärer trifft: originäre Empfindung vertrüge sich mit Rationalität, Selbsterfüllung mit sozialer Pflichtleistung, Natur mit ständisch regulierter Konvention.

Der Roman und sein Held stehen für die Erfahrung des Gegenteils. Es gibt Gefühle, es existieren Leidenschaften, die für das moralische und kommunikative Funktionieren der bestehenden Gesellschaft und für das eigene Dasein bedrohlich werden können – wie ein aus der Knechtschaft aufgärendes Volk seinen Tyrannen (12. August). Belegt die öffent-

[8] Lotte beklagt Werthers „zu warmen Anteil an allem“ und daß er „drüber zugrunde gehen würde“ (Brief vom 1. Juli); Lichtenberg spricht von Werther als einem „Hasenfuß“, vgl. Peter Müller: Der junge Goethe im zeitgenössischen Urteil. Berlin/DDR 1969. S. 159.

liche Norm solches emotionale Ungestüm mit Sanktion oder Verschweigung: hier wird ihm Ausdruck und Recht. Goethes Freund Jakob Michael Reinhold Lenz erblickt die entscheidende Leistung des Goetheschen Romans denn auch darin, „daß er uns mit Leidenschaften und Empfindungen bekannt macht, die jeder in sich dunkel fühlt, die er aber nicht mit Namen zu nennen weiß"[9]. Im Konflikt mit der sozialen Regel wirken die nichtsoziablen Strebungen zerstörerisch, und als Formen derartiger Zerstörung erfährt Werther – an fremden Subjekten – beispielhaft Verrücktheit und Verbrechen. Wie nah geht ihm das traurige Schicksal des irren Schreibers Heinrich, wie lebhaft identifiziert er sich mit dem erotisch entbrannten Bauernburschen, der (in der zweiten Fassung des Romans) aus Liebe gar zum Mörder wird.

Werthers eigene Lösung sieht anders aus. Seine Intellektualität stellt schon früh die Gründe dafür zusammen. Als Emotion und Einbildungskraft, an der Wirkung nach außen gehindert und in sich selber zurückgebogen, die Welt für Werther immer schlimmer verdunkeln, wird das Argument für den Selbstmord, die vorgebliche Befreiung aus dem Kerker, rasch zur Tat. Der Schuß ins Eigene, wohlerwogen, wohlbegründet, besiegelt die Erfahrung der Kluft, die sich zwischen Anspruch und Lizenz eigener Verwirklichung aufgetan hat. Daß diese Erfahrung Werthers zugleich diejenige einer Generation junger Intellektueller spiegelt, zeigt das angeführte Wort von Lenz, beweisen Äußerungen anderer Altersgenossen, belegen auch die Lebensschicksale eines Jerusalem, Lenzens selber oder Johann Carl Wezels – um nur an wenige Namen aus der Sturm-und-Drang-Generation zu erinnern. So versteht man auch ein wenig von Goethes fortwährender Befangenheit diesem Werk gegenüber.

Das Motiv des Todes durchsetzt in zunehmendem Maß die Äußerungen Werthers in seinen Briefen und Tagebuchauf-

[9] J. M. R. Lenz: Werke und Schriften. Herausgegeben von B. Titel und H. Haug. Band I. Stuttgart 1966. S. 393.

zeichnungen. Vorstellungen von Selbstmord und Grab, von Dolch und Pistole häufen sich besonders im zweiten Teil. Dem Frühsommer der entzückten Gefühle des Jahres 1771 antwortet die sich verdüsternde Epoche 1772 zwischen zwei Wintern. Wie bedrängend authentisch wirkten allein diese Jahres- und Tagesdaten auf den Zeitgenossen. „Alles, alles ist vorübergegangen!" – so lautet bereits im August des zweiten Jahres die Klage. Im November zeigt sich die einst „herrliche Natur so starr". Feindlich und bedrohend wird sie, ein „Ungeheuer", das endlich zerstörend sein Werk verrichtet. Dabei ist sie der genaue Spiegel von Werthers seelischer Verfassung. Er sagt es selbst: „Wie die Natur sich zum Herbste neigt, wird es Herbst in mir und um mich her." (Zweite Fassung; 4. September) Untrennbar vom Jahresgang ist Werthers Entwicklung, sein Ich und die Natur erläutern einander – im surrealen Bild beinahe: „Meine Blätter werden gelb." (4. September) Die Wasser der Landschaft – im deutschen Pietismus ein gern genutztes Emblem der menschlichen Seele – steigen zum ungebärdigen Strom, der, Vorbild für die Selbstvernichtung des Helden, die schönen Plätze der Gefühlsseligkeit überspült (8. Dezember).

Wie Homer den heiteren Ansichten der Natur, so liefert nun der winterlich düstere Ossian „dieser menschenfeindlichen Jahreszeit" die Melodie. Bereits im Brief vom 12. Oktober kündigt sich an, was kommen soll; „Ossian hat in meinem Herzen den Homer verdrängt", heißt es, und der Brief endet mit dem Wunsch, den keltischen Helden „von der zückenden Qual des langsam absterbenden Lebens auf einmal [zu] befreien". Die gälischen Gesänge lassen Atem schöpfen, halten die Katastrophe ein wenig zurück und schaffen ihr doch zugleich die Atmosphäre, eine Witterung voll Schauder und Untergangslust.

Durch die unvergeßbare Kränkung bei der Gesandtschaft wurde, wie der fiktive Herausgeber ausdrücklich notiert, Werther in eine „endlose Leidenschaft" (S. 95) – will heißen: eine aussichtslose Leidenschaft – hineingeworfen. In ihr verdichtet sich sein Leiden an der Welt, sie hält den schmerzenden Riß zwischen Wunsch und Gewährung offen. Und weder die aristokratischen Weisen erotischen Spiels noch die – Werther ohnehin mißliebigen – bürgerlichen Formen ehelicher Zucht oder außerehelicher Zurückhaltung können hier noch leiten. So finden sich, in jener ossianischen Witterung voll Schauder und Untergangslust, der Held und Lotte in einer Situation verwirrter Sinnlichkeit. Geradezu ruckhaft fördert diese erste leiblich-erotische Begegnung den Todeswunsch, wie rollender Schotter folgen ihr die letzten Dinge. Das von den Konventionen der Welt zurückgestoßene, den Normen der Gesellschaft widerstrebende bürgerliche Individuum erfährt sich auch als sinnliches Wesen – antwortet mit Erschrecken, und alsbald tritt vor die Erregung des liebenden die „konvulsivische" Zukkung eines sterbenden Leibes. Daß der in nächtlicher Natur irrende Werther seinen Hut verliert, illuminiert seinen endgültigen Fall aus der Ehrbarkeit. Der Selbstmord, der „keine übereilte" Tat, sondern „mit der möglichsten ruhigen Entschlossenheit" (S. 94) ins Werk gesetzt sein sollte, er ist nach der wilden Versündigung an der bürgerlichen Norm nunmehr dringlich.

Allein durch das Sterben werden für Werther Liebe und umfassende Selbstverwirklichung erkaufbar, das „Wonnegefühl" ist – unter den Geboten der Zeit – nur für den „Taumel des Todes" (S. 116) zu haben. Diese Tragik schafft sich in biblischen Worten Ausdruck. Werther selbst salbt sein Ende mit Ton und Vorstellung der Passion Christi; Brot und Wein, Kelch und Gethsemane tauchen auf, die Selbstentleibung wird Opfer – auch zum Segen anderer: „O daß ihr glücklich wäret durch meinen Tod!" In der Rebellion gegen die Zwänge der Welt bringt der Rebell sich selber dar, dabei noch Gutes stiftend; einen „*gekreuzigten* Prometheus" nennt ihn Lenz darum[10].

Keine Frage, das Durchsprengen eines unchristlichen Buchs

[10] Lenz: Werke. Band I. S. 396 (Hervorhebung vom Verfasser des Nachwortes).

und eines unbürgerlichen Lebenslaufes mit neutestamentlicher Heilsrhetorik vergrößerte die Anstößigkeit des Romans bei aufgeklärten wie kirchlich-orthodoxen Lesergruppen; auch, daß er in seinem tödlichen Höhepunkt auf das Geburtsfest des biblischen Gottessohns hinkomponiert war. Andere hat gerade diese kühne Verwendung christlicher Symbole für das Buch gewonnen, es bot ihnen einen säkularen Märtyrer an und wurde – so bei den illuminatischen Freimaurern – „bewußt an die Stelle mönchischer Meditationen" gesetzt[11].

Uns ist „Werther" das Zeugnis einer jungen bürgerlichen Generation vor zweihundert Jahren. Intelligent und sensibel, unbotmäßig gegen die Verbindlichkeiten der Väter und beleidigt durch das, was die Gesellschaft ihr bewilligte, wollte sie in ihrer so gearteten Welt nicht erwachsen werden. Manche wurden es in der Tat nicht, viele doch. Dem Trotz und Protest jener Jünglingsjahre hat Goethe in „Werther" ein Mal aufgerichtet. Daß dieses heute, trotz zeitlichem Abstand und anderer gesellschaftlicher Verhältnisse, noch anrühren kann, beweist das neuerliche Leseinteresse an den „Leiden des jungen Werthers" ebenso wie der gewaltige Erfolg, den Ulrich Plenzdorfs „Neue Leiden des jungen W." (1973) in Ost und West erringen konnten.

Hans-Wolf Jäger

[11] Vgl. Jäger: Wertherwirkung. S. 403; Jäger beruft sich auf H. Grassls Buch „Aufbruch zur Romantik" (1968), wonach der „Werther" bei den bayerischen Illuminaten über des Thomas a Kempis „Nachfolge Christi" gestellt wurde.

ZEITTAFEL

1749	28. August: Johann Wolfgang Goethe in Frankfurt am Main als Sohn des Dr. jur. Johann Kaspar Goethe (1710–82), Kaiserlichen Rats ohne Amt, und der Schultheißentochter Katharina Elisabeth Textor (1731–1808) geboren.
1752–65	Goethes Ausbildung beginnt mit dem Besuch einer Spielschule, in der er ersten Leseunterricht erhält. Später Unterricht in Latein, Griechisch, Französisch, Italienisch, Englisch und Hebräisch, im Zeichnen, Schönschreiben, Fechten und Reiten. Unter Anleitung des Vaters bereits früh auch juristische Studien. Lektüre: Bibel, Volksbücher, Robinsonaden, Klopstock.
1765	Auf Wunsch des Vaters beginnt Goethe in Leipzig das Jurastudium. Er selbst hätte gern in Göttingen die „Schönen Wissenschaften“ (Rhetorik und Poetik) und klassische Altertumswissenschaft studiert.
1766–68	In der Leipziger Zeit befaßt sich Goethe intensiv mit Literaturkritik, Poetik und Kunsttheorie, erhält Zeichenunterricht bei A. F. Oeser, macht die persönliche Bekanntschaft Gottscheds und Gellerts, besucht häufig das Theater und lernt die Schauspielerin Corona Schröter kennen. Neben vielen Gelegenheitsgedichten verfaßt er das Schäferspiel „Die Laune des Verliebten“. Ende 1768 verläßt er in schwerer Krankheit und ohne Studienabschluß Leipzig und kehrt nach Frankfurt zurück.
1768–70	Während seiner Krankheit kommt Goethe mit dem Pietismus in Berührung, beschäftigt sich mit Lessings „Laokoon“ und Herders „Kritischen Wäl-

dern“ und studiert Gottfried Arnolds „Unparteiische Kirchen- und Ketzerhistorie“, die auf seine religiösen Vorstellungen Einfluß gewinnt. 1769 erscheint eine erste Gedichtsammlung, er verfaßt das Lustspiel „Die Mitschuldigen“.

1770/71 Goethe in Straßburg, um hier die juristischen Studien abzuschließen. Er lernt Johann Gottfried Herder kennen, der auf ihn mit seinen Vorstellungen über das Wesen der Sprache und Dichtkunst großen Einfluß hat. Insbesondere Herders Auffassungen über das Volkslied üben nachhaltige Wirkung. Goethe wird zur Lektüre Homers, Ossians und Shakespeares angeregt. 1771 sammelt er auf Reisen im Elsaß für Herder Volkslieder. Die Bekanntschaft mit Friederike Brion regt zu den „Sesenheimer Liedern“ an.

1771 Goethes Dissertation „De Legislatoribus“ (Recht und Verpflichtung des Staates, den kirchlichen Kultus zu bestimmen bei Freiheit des persönlichen Religionsbekenntnisses) wird zum Druck nicht zugelassen. Im August promoviert er zum Lizentiaten der Rechte.

Goethe läßt sich in Frankfurt als Anwalt nieder. Der Beruf verschafft ihm nur wenig persönliche Befriedigung; er bezeichnet Frankfurt als ein „leidig Loch“, besonders das enge, auf den Erwerb gerichtete Denken der Frankfurter Bürger stößt ihn ab. Im Oktober hält er auf einer Feier zu Ehren Shakespeares die Ansprache „Zum Schäkespears Tag“, im November beginnt die Arbeit am „Götz von Berlichingen“.

1772 Goethe verfaßt mehrere Rezensionen für die „Frankfurter Gelehrten Anzeigen“ und beendet die Schrift „Von Deutscher Baukunst“. Sturm-und-Drang-Lyrik, darunter „Wanderers Sturmlied“.

Im Mai geht Goethe zur weiteren Ausbildung als

Rechtspraktikant an das Reichskammergericht nach Wetzlar. Hier lernt er Charlotte Buff und den Legationssekretär J. Ch. Kestner kennen, Hintergrund für den Roman „Die Leiden des jungen Werthers". Am 11. September verläßt Goethe Wetzlar und kehrt nach Frankfurt zurück.

1773 Im Juni erscheint die zweite Fassung des „Götz" unter dem Titel „Götz von Berlichingen mit der eisernen Faust. Ein Schauspiel". Neben Gedichten, Fastnachtsspielen und religiösen Abhandlungen verfaßt Goethe „Mahomet", ein dramatisches Fragment, das „Jahrmarktsfest in Plundersweilern", die Satire „Götter, Helden und Wieland". Erste Beschäftigung mit Spinoza. Freirhythmische Sturm-und-Drang-Gedichte.

1774 Februar–April: der Briefroman „Die Leiden des jungen Werthers". Persönliche Bekanntschaften mit Lavater, Klopstock, Heinse, F. H. Jacobi. Es entstehen „Clavigo. Ein Trauerspiel", die Gedichte „Der König von Thule" und „Prometheus".

1775 Gegen Ostern Verlobung mit Lili Schönemann, im Oktober wieder gelöst. Reise in die Schweiz. Auf Einladung des Herzogs Carl August geht Goethe an den Weimarer Hof. Hier nähere Beziehung zur Herzogin-Mutter Anna Amalia, zu Christoph Martin Wieland und Charlotte von Stein.

1776 Goethe entschließt sich, in Weimar zu bleiben, und erhält das Bürgerrecht. Herder und Corona Schröter kommen nach Weimar. Goethe übernimmt die Leitung des Liebhabertheaters.

1777 Erste Harzreise. Beschäftigung mit Bergwerksangelegenheiten. Es entstehen „Harzreise im Winter" und „Der Triumph der Empfindsamkeit".

1778 Entstehung von „Wilhelm Meisters theatralischer Sendung".

1779 Goethe erhält die Leitung der Kriegskommission

	und des Straßenbauwesens. Zweite Schweizer Reise. Entstehung von „Iphigenie auf Tauris" (Prosafassung).
1780	Goethe liest im kleinen Kreis den „Urfaust" vor. Aufnahme in die Freimaurerloge „Amalia" in Weimar.
1782	Goethe erhält den erblichen Adel. Es entstehen u. a. die Gedichte „Auf Miedings Tod", „Erlkönig" und das Singspiel „Die Fischerin".
1784	Entdeckung des Zwischenkieferknochens am menschlichen Schädel.
1785	„Wilhelm Meisters theatralische Sendung" ist mit dem sechsten Buch vorläufig abgeschlossen. Erster Druck von „Edel sei der Mensch".
1786	Die zweite Fassung des „Werther" entsteht. Im September fluchtartige Reise nach Italien, wo Goethe bis 1788 lebt. Endgültige Fassung der „Iphigenie auf Tauris" (in Versen). Bekanntschaft mit Angelica Kauffmann, J. H. Meyer, H. W. Tischbein, K. Ph. Moritz.
1787	Abschluß der Arbeit am „Egmont". Reise mit Tischbein nach Neapel, mit C. H. Kniep nach Sizilien; Bekanntschaft mit J. Ph. Hackert.
1788	Rückkehr nach Weimar und Beginn der Lebensgemeinschaft mit Christiane Vulpius. Erste Begegnung mit Schiller.
1789/90	Vollendung der Schrift „Versuch, die Metamorphose der Pflanzen zu erklären", des „Torquato Tasso" und der „Venetianischen Epigramme". Abschluß der Umarbeitung des „Faust". Zweite Italienreise. Bekanntschaft mit G. A. Bürger, W. v. Humboldt. Geburt von Goethes Sohn August (25. Dezember 1789).
1791	Goethe übernimmt die Leitung des Weimarer Hoftheaters. Entstehung des Lustspiels „Der Groß-Kophta".

1792 Kampagne in Frankreich. Goethe ist Zeuge der Kanonade von Valmy. Auf der Rückreise Besuch in Düsseldorf bei F. H. Jacobi, in Münster bei der Fürstin Gallitzin.

1793 Entstehung des „Reineke Fuchs“ und des Lustspiels „Der Bürgergeneral“. Teilnahme an der Belagerung von Mainz.

1794 Bis 1805 steht Goethe in engster Verbindung mit Schiller. Erste Begegnung mit Hölderlin. Abschluß der „Römischen Elegien“.

1796 Arbeit an „Wilhelm Meisters Lehrjahren“ abgeschlossen. Gedicht „Alexis und Dora“, mit Schiller gemeinsame Arbeit an den „Xenien“.

1797 „Hermann und Dorothea“. Balladen („Der Zauberlehrling“, „Die Braut von Korinth“, „Der Gott und die Bajadere“, „Der Schatzgräber“ u. a.).

1798 Die von Goethe herausgegebene Kunstzeitschrift „Propyläen“ beginnt zu erscheinen. Arbeit am „Faust“, Lehrgedicht „Die Metamorphose der Pflanzen“.

1801 Begegnung mit Hegel, A. W. Schlegel, Tieck, Gentz.

1803 Abschluß der Arbeit an dem Drama „Die natürliche Tochter“. Versstudien mit J. H. Voß. Begegnung mit Ph. O. Runge, B. Constant.

1805 Goethe verfaßt den Aufsatz „Winckelmann“ für das von ihm herausgegebene Sammelwerk „Winkelmann und sein Jahrhundert“. Mit dem Druck der Schriften „Zur Farbenlehre“ wird begonnen. Schiller gestorben (9. Mai).

1806 Abschluß des ersten Teils des „Faust“. Goethe heiratet Christiane Vulpius aus Dankbarkeit für ihr mutiges Benehmen beim Einrücken der französischen Truppen in Weimar. Lehrgedicht „Die Metamorphose der Tiere“.

1808 Begegnung mit Napoleon, der Goethe auffordert,

nach Paris zu kommen und dort eine Cäsar-Tragödie zu schreiben; Verleihung des Ordens der Ehrenlegion. Es entsteht „Pandora. Ein Festspiel".

1809 Abschluß der Arbeit am Roman „Die Wahlverwandtschaften". Beginn der Arbeit an der Autobiographie „Dichtung und Wahrheit", deren Teile 1811, 1812, 1813 und 1833 erscheinen. Begegnung mit W. Grimm.

1810 Erscheinen von Goethes Schrift „Zur Farbenlehre". Gedicht „Das Tagebuch". Besuch K. F. Zelters. In Dresden Begegnung mit C. D. Friedrich.

1812 Erstmals Aufführung des „Egmont" mit der Musik Beethovens. Mehrmaliges Zusammentreffen mit Beethoven in Karlsbad.

1815 Goethe erhält den Titel „Staatsminister". Arbeit am „West-östlichen Divan".

1816 Erster Band der „Italienischen Reise". Tod Christianes (6. Juni). Besuch Charlotte Buffs in Weimar.

1817 Zweiter Band der „Italienischen Reise".

1818 Das erste Heft von „Über Kunst und Altertum in den Rhein- und Maingegenden" erscheint unter dem Titel „Über Kunst und Altertum".

1819 Abschluß der Arbeit am „West-östlichen Divan"; dazugehörige „Noten und Abhandlungen". Begegnung mit Metternich, Kaunitz.

1821 Der erste Teil von „Wilhelm Meisters Wanderjahren" erscheint. Begegnung mit A. v. Platen.

1822 Erscheinen der „Campagne in Frankreich" und der „Belagerung von Mainz".

1823 „Marienbader Elegie". Eckermann kommt zu Goethe und bleibt in Weimar.

1825 Ehrendoktorwürde der Universität Jena.

1827 „Chinesisch-deutsche Jahres- und Tageszeiten". Die Arbeit an „Faust II" (1824 aufgenommen) läuft weiter.

1829	„Wilhelm Meisters Wanderjahre“ werden beendet.
1830	Tod von Goethes Sohn August in Rom (27. Oktober); er wird an der Cestius-Pyramide begraben.
1831	Abschluß der Arbeit an „Dichtung und Wahrheit“. Goethes letztes großes Werk, der „Faust II“, wird fertiggestellt.
1832	22. März: Goethe stirbt und wird an der Seite Schillers in der Fürstengruft zu Weimar beigesetzt.

7 *einen angenehmen Unterhalt:* eine angenehme Unterhaltung.

8 *Die Stadt:* Die „Stadt“ trägt Züge von Wetzlar, wo sich Goethe von Mai bis September 1772 als Praktikant am Reichskammergericht aufhielt. Etwa 900 der nur 4000 Einwohner zählenden Stadt waren Juristen.

Der Garten ist einfach ... nicht ein wissenschaftlicher Gärtner: Werther beschreibt einen im englischen Stil der Gartenbaukunst gestalteten Naturpark, dem man im Verlaufe des 18. Jahrhunderts den Vorzug gegenüber dem im traditionellen französischen Stil gestalteten Garten zu geben begann. Statt geometrischer Regelmäßigkeit schätzte man nun eine Naturgestaltung, der man die Bearbeitung nicht ansah und die frei schien von aufgezwungenen Regeln.

9 *Kabinettchen:* von frz. *cabinet,* kleiner geschlossener Raum.

und bin niemalen ein größerer Maler gewesen: Anspielung auf Lessings „Emilia Galotti“, wo Conti sagt: „... daß ich wirklich ein großer Maler bin, daß es aber meine Hand nur nicht immer ist. – Oder meinen Sie, Prinz, daß Raphael nicht das größte malerische Genie gewesen wäre, wenn er unglücklicherweise ohne Hände wäre geboren worden?“ (I, 4)

merkwürdig: wichtig, bedeutsam.

10 *Melusine:* nach der altfranzösischen Sage aus dem 14. Jahrhundert eine Meernixe, halb Weib, halb Fisch. Goethe spielt an auf die deutsche Fassung im Volksbuch von 1474, in der Melusine mit ihrer Schwester an den Durst-

brunnen gebannt ist. Eine Aufnahme des Grundmotivs der Sage findet sich auch in der „Neuen Melusine“ in „Wilhelm Meisters Wanderjahren“.

Anzügliches: Anziehendes.

patriarchalische Idee: Patriarch, im Alten Testament israelitischer Erz- und Stammvater (Abraham, Isaak, Jakob). Die patriarchalische Idee bezeichnet hier die Werthersche Vorstellung eines harmonischen, einfachen, durch Ständetrennung nicht gestörten Zusammenlebens, wie Werther es auch bei Homer zu finden meint. Symbol dieser Idee ist die dem Alten Testament entlehnte Brunnenszene, „wie sie alle, die Altväter, am Brunnen Bekanntschaft machen und freien“ (vgl. 1. Mose 24, 13 f. und 1. Mose 29, 1 f.), aber auch die Szene in Homers „Odyssee“, in der sich König und Schweinehirt begegnen (vgl. den Brief vom 15. März 1772).

wie um die Brunnen und Quellen wohltätige Geister schweben: Dieses Bild findet sich in der griechischen, römischen und germanischen Mythologie.

Homer: altgriechischer Epiker, der um 800 v. Chr. lebte, mit Wahrscheinlichkeit Schöpfer der „Ilias“ und „Odyssee“. Neben Shakespeare war es vor allem Homer, der auf das Denken und Fühlen, auf die Kunstauffassung der Dichter des Sturm und Drang entscheidenden Einfluß hatte. In ihm sah man den genialen Künstler, dessen Schaffen allein in den Regeln der Natur seine Grundlagen hatte, dessen Werk als Beispiel diente gegen starre, dem Kunstwerk von außen aufgezwungene Regeln und Maßstäbe. Bei ihm fand man, so Goethe, „die abgespiegelte Wahrheit einer uralten Gegenwart“.

11 *Kringen:* Tragring, oft mit Pferdehaaren ausgestopftes Polster zum Tragen von Lasten auf dem Kopf.

12 *Witze:* im ursprünglichen Sinn von Verstand, Vernunft.

Modifikationen: Erscheinungsformen, Abwandlungen.

Akademien: Universitäten.

zwei Meteore hierzuland: hierzulande selten. Ein geordneter Zeichenunterricht wird erst mit dem Philanthropismus und der Begründung der Dessauer Anstalt 1774 erteilt. Ebenso war die Erteilung von Griechischunterricht um 1770 noch selten.

12 f. *Batteux . . . Manuskript von Heynen über das Studium der Antike:* Charles Batteux (1713–80), Robert Wood (1716–71), Roger de Piles (1635–1709), Johann Joachim Winckelmann (1717-68), Johann Georg Sulzer (1720-79) und Christian Gottlob Heyne (1729–1812) waren einflußreiche Kunsttheoretiker des 17. bzw. 18. Jahrhunderts, die, teilweise im Unterschied zur Kunstauffassung des Sturm und Drang, die Kunst in Regeln und Systeme zu fassen suchten. Die Nachschriften der Vorlesungen des Göttinger Philologen Heyne galten als wertvoll, da hier oft noch unveröffentlichte Ergebnisse wissenschaftlicher Arbeit vorgetragen wurden.

13 *Kerl:* Modewort des Sturm und Drang, das Goethe in der zweiten Fassung des Romans durch „Mann" ersetzte. Es hatte keine abwertende Bedeutung, trug im Gegenteil Gefühlswerte wie „brav", „wacker".

ältsten: ältesten. Beispiele für die Auslassung eines Lautes finden sich in der ersten Fassung des Romans häufig. Goethe folgt hier dem Theoretiker des Sturm und Drang, Herder, der solche Auslassungen (Elisionen) empfiehlt: „Haben Sie es da nicht oft bemerkt, wie schädlich es uns Deutschen sei, daß wir keine Elisionen haben, oder uns machen wollen? . . . Uns quälen diese schleppenden Artikel, Partikeln usw. oft so sehr und hindern den Gang des Sinns oder der Leidenschaft – aber wer unter uns wird zu elidieren wagen?" In der zweiten Fassung des Romans entfallen solche Elisionen durchweg.

ehster Tage: Vgl. die vorige Anmerkung.

in Weg: in den Weg. Vgl. die Anmerkung zu „ältsten".

historisch: tatsachengerecht, berichtend.

14 *Hofmeister:* Privatlehrer, Hauslehrer.

in Tag: in den Tag. Vgl. die zweite Anmerkung zu Seite 13.
dem's wohl ist: dem es wohl ist. Vgl. die zweite Anmerkung zu Seite 13.
das süße Gefühl von Freiheit: Hier spricht Werther erstmals die Möglichkeit des Freitodes an.

15 *bürgerlichen Gesellschaft:* Mit dem Begriff ist keine bestimmte Gesellschaftsform gemeint, sondern der vergesellschaftete Stand des Menschen allgemein.

16 *Wohlstand:* Anstandsregeln.
geilen Reben: üppige, meist aber unfruchtbare Triebe.
Philister: kleinlicher, pedantischer Mensch, Spießer.

17 *Scharre:* südwestdeutsch: Speiserest, der im Topf zusammengekratzt wird.

18 *inkommodieren:* belästigen, Unbequemlichkeiten bereiten.
Die zweite Fassung (1787) schiebt nach dem Brief vom 27. Mai folgendes ein:

„Am 30. Mai

Was ich dir neulich von der Malerei sagte, gilt gewiß auch von der Dichtkunst; es ist nur, daß man das Vortreffliche erkenne und es auszusprechen wage, und das ist freilich mit wenigem viel gesagt. Ich habe heut eine Szene gehabt, die, rein abgeschrieben, die schönste Idylle von der Welt gäbe; doch was soll Dichtung, Szene und Idylle? Muß es denn immer gebosselt [künstlich zurechtgemacht] sein, wenn wir teil an einer Naturerscheinung nehmen sollen?

Wenn du auf diesen Eingang viel Hohes und Vornehmes erwartest, so bist du wieder übel betrogen; es ist nichts als ein Bauerbursch, der mich zu dieser lebhaften Teilnehmung hingerissen hat. Ich werde, wie gewöhnlich, schlecht erzählen, und du wirst mich wie gewöhnlich, denk ich, übertrieben finden; es ist wieder Wahlheim und immer Wahlheim, das diese Seltenheiten hervorbringt.

Es war eine Gesellschaft draußen unter den Linden,

Kaffee zu trinken. Weil sie mir nicht ganz anstand, so blieb ich unter einem Vorwande zurück.

Ein Bauerbursch kam aus einem benachbarten Hause und beschäftigte sich, an dem Pfluge, den ich neulich gezeichnet hatte, etwas zurecht zu machen. Da mir sein Wesen gefiel, redete ich ihn an, fragte nach seinen Umständen, wir waren bald bekannt und, wie mir's gewöhnlich mit dieser Art Leuten geht, bald vertraut. Er erzählte mir, daß er bei einer Witwe in Diensten sei und von ihr gar wohl gehalten werde. Er sprach so vieles von ihr und lobte sie dergestalt, daß ich bald merken konnte, er sei ihr mit Leib und Seele zugetan. Sie sei nicht mehr jung, sagte er, sie sei von ihrem ersten Mann übel gehalten worden, wolle nicht mehr heiraten, und aus seiner Erzählung leuchtete so merklich hervor, wie schön, wie reizend sie für ihn sei, wie sehr er wünsche, daß sie ihn wählen möchte, um das Andenken der Fehler ihres ersten Mannes auszulöschen, daß ich Wort für Wort wiederholen müßte, um dir die reine Neigung, die Liebe und Treue dieses Menschen anschaulich zu machen. Ja, ich müßte die Gabe des größten Dichters besitzen, um dir zugleich den Ausdruck seiner Gebärden, die Harmonie seiner Stimme, das heimliche Feuer seiner Blicke lebendig darstellen zu können. Nein, es sprechen keine Worte die Zartheit aus, die in seinem ganzen Wesen und Ausdruck war; es ist alles nur plump, was ich wieder vorbringen könnte. Besonders rührte mich, wie er fürchtete, ich möchte über sein Verhältnis zu ihr ungleich denken [Falsches denken] und an ihrer guten Aufführung zweifeln. Wie reizend es war, wenn er von ihrer Gestalt, von ihrem Körper sprach, der ihn ohne jugendliche Reize gewaltsam an sich zog und fesselte, kann ich mir nur in meiner innersten Seele wiederholen. Ich hab in meinem Leben die dringende Begierde und das heiße, sehnliche Verlangen nicht in dieser Reinheit gesehen, ja wohl kann ich sagen, in dieser Reinheit nicht gedacht und geträumt.

Schelte mich nicht, wenn ich dir sage, daß bei der Erinnerung dieser Unschuld und Wahrheit mir die innerste Seele glüht und daß mich das Bild dieser Treue und Zärtlichkeit überall verfolgt und daß ich, wie selbst davon entzündet, lechze und schmachte.

Ich will nun suchen, auch sie ehstens zu sehn, oder vielmehr, wenn ich's recht bedenke, ich will's vermeiden. Es ist besser, ich sehe sie durch die Augen ihres Liebhabers; vielleicht erscheint sie mir vor meinen eignen Augen nicht so, wie sie jetzt vor mir steht, und warum soll ich mir das schöne Bild verderben?"

Bekanntschaft: Kurze Zeit nach seiner Ankunft in Wetzlar nimmt Goethe im benachbarten Volpertshausen an einem Ball teil, wo er die neunzehnjährige Amtmannstochter Charlotte Sophie Henriette Buff und ihren Verlobten, den Gesandtschaftssekretär Johann Georg Christian Kestner, kennenlernt.

Historienschreiber: Berichterstatter.

20 *das reizendste Schauspiel:* Die geschilderte Szene wurde eines der beliebtesten Motive für die Illustratoren des Romans.

Taille: Gestalt, Größe.

22 *Miß Jenny:* Anspielung auf einen der empfindsamen zeitgenössischen Romane, die unter Nachahmung Samuel Richardsons (1689–1761) entstanden. Vermutlich ist hier Marie-Jeanne Riccobonis Roman „Histoire de Miss Jenny Glanville" gemeint, der 1764 auch deutsch erschien.

Landpriester von Wakefield: Gemeint ist der Roman von Oliver Goldsmith (1728–74) „The Vicar of Wakefield" (1766), mit dem Goethe in Straßburg durch Herder bekanntgemacht wurde. Der Roman, von Goethe als „moderne Idylle" bezeichnet, schildert anschaulich kleinstädtisches und ländliches Leben.

Namen einiger vaterländischen Autoren: Hier dürfte besonders an Christoph Martin Wieland zu denken sein, der mit seinem Roman „Agathon" (1766/67) wichtigen

Anteil an der Entwicklung des Romans zur anerkannten literarischen Kunstform hatte. Weitere bekannte Autoren der Zeit sind Johann Timotheus Hermes mit „Sophiens Reise von Memel nach Sachsen" (1769–73) und Sophie von Laroche mit der „Geschichte des Fräuleins von Sternheim" (1771).

23 *Contretanz:* Es werden vor allem drei Tanzstile gepflegt: das französische Menuett, der englische Contretanz (von „country-dance") mit eingeschobenem Walzer und der deutsche Walzer, der eben erst gesellschaftsfähig wird.

24 *Chapeau:* Hut, hier der männliche Tänzer (der beim Tanz den Hut trägt).

daß ein Mädchen . . .: Da der deutsche Walzer der erste Tanz ist, bei dem die Dame in den Armen ihres Tänzers liegt, trennten sich verständlicherweise zusammengehörige Paare nur ungern bei diesem Tanz.

25 *Wetterkühlen:* Wetterleuchten.

26 *Schlucker:* Schlemmer, Genießer.

in Hoffnung auf ein saftiges Pfand: Küsse (und Ähnliches) waren in den Pfänderspielen der Zeit nicht anstößig.

27 *Klopstock:* Friedrich Gottlieb Klopstock (1724–1803). Seit Erscheinen der drei ersten Gesänge des „Messias" (1748) gehörte er zu den angesehensten Dichtern seiner Zeit. Durch seine in Form und Inhalt neuartige Gestaltung des Verhältnisses von Mensch und Natur, Freundschaft und Liebe fand er besonders bei der jungen Generation eine große Resonanz, so daß allein die Nennung des Namens durch Lotte ausreicht, um Werther im „Strome von Empfindungen" versinken zu lassen. In der zweiten Fassung des Romans fügt Goethe nach „Klopstock" den Satz „Ich erinnerte mich sogleich der herrlichen Ode, die ihr in Gedanken lag . . ." ein und meint damit die Ode „Die Frühlingsfeier" (1759), deren Schluß der Situation im Roman ähnlich ist:

„Ach, schon rauscht, schon rauscht
Himmel und Erde vom gnädigen Regen!
Nun ist – wie dürstete sie! – die Erd' erquickt,
Und der Himmel der Segensfüll' entlastet!

Siehe, nun kommt Jehova nicht mehr im Wetter,
In stillem sanftem Säuseln
Kommt Jehova,
Und unter ihm neigt sich der Bogen des Friedens!"

Es sei an dieser Stelle noch ein kurioses Zeugnis der „Werther"-Rezeption angeführt, das sich im Tagebuch Elisas von der Recke (Warschau, 13. November 1791) findet:

„Den Mittag speisten Daria und ich mit unserm Könige bei Madame de Cracovie. Die Fürstin Lubomirska erzählte mir, daß, nachdem sie sich schon eine Weile in der deutschen Sprache geübt gehabt hätte, sie den Versuch gewagt hat, ‚Werther' zu lesen. Die Szene, wo Lotte mit Werther nach einem Gewitter ans Fenster tritt und sich dieser herrlichen Naturszene freut, ist ihr unverständlich gewesen, weil sie nicht gewußt hat, daß Klopstock einer der ersten Dichter sei. Sie hat Klopstock für ein deutsches Wort gehalten, und nachdem sie sich im Wörterbuche müde gesucht hat, schickt sie zu ihrem deutschen Koch hinunter, läßt den fragen, ob er nicht wüßte, was Klopstock hieße. Er versichert, Klopstock wäre eine Art von sehr delikatem Rostbeef, das auf gut deutsch eigentlich Klopffleisch genannt werden müsse. Diese Anekdote machte mich herzlich lachen." (Elisa von der Recke: Mein Journal. Herausgegeben von J. Werner. Leipzig 1927. S. 99)

29 *Freier der Penelope Ochsen und Schweine schlachten:* Vgl. Homers „Odyssee", 20. Gesang, Vers 251 f. Während der Abwesenheit Odysseus' wird seine Gattin Pene-

lope von einer Vielzahl von Freiern umworben, die große Festgelage veranstalten.
Affektation: Ziererei.

30 *Wenn ihr nicht werdet wie eines von diesen:* Anspielung auf Matthäus 18, 3: „Wenn ihr nicht umkehret und werdet wie die Kinder, so werdet ihr nicht ins Himmelreich kommen."
als unsere Muster ansehen sollten: Die von Werther vorgetragenen Ansichten vom unverdorbenen Kind als dem Vorbild des Erwachsenen und von der Achtung der kindlichen Eigenart sind Jean Jacques Rousseau (1712 bis 78) verpflichtet, der das Zeitalter des Kindes verkündete und seine Vorstellungen vor allem in „Emile oder über die Erziehung" (1762) formulierte.
radotieren: schwätzen, faseln, leeres Gerede machen.

31 *Quakelchen:* Nesthäkchen.
Karlsbad: Kurbad in West-Böhmen.

32 *übler Humor:* schlechte Laune.
bräunliche Farbe: Bezieht sich auf die Natur- und Heillehre des Mittelalters, in der Gemüt und Wesen auf die Körpersäfte des Menschen zurückgeführt wurden. Bei übler Laune wird das ohnehin („ohnedas") braune Gesicht des Melancholikers noch dunkler.
Friederike: Tochter des Pfarrers von St.; sie trägt den Namen der Jugendfreundin Goethes, der Sesenheimer Pfarrerstochter Friederike Brion.
Fratzen: Nichtigkeiten.
Roulieren: sich lenken, kommen.

33 *Resignationen:* Selbstverleugnungen.
Wir haben nun von Lavatern: Hier ist die Predigt „Mittel gegen Unzufriedenheit und üble Laune" aus den 1773 veröffentlichten „Predigten über das Buch Jonas" gemeint, die von Johann Kaspar Lavater (1741 bis 1801) verfaßt wurden.

36 *einen häßlichen Bart zu kriegen:* Ein volkstümliches

Märchen sagt, kleinen Mädchen wüchse nach dem Kuß eines Mannes ein häßlicher Bart.
geizt: verlangt, giert.

37 *lüftig:* flatterhaft.
auf sie resigniert: ihr ergeben.
Ossian: James Macpherson (1736–96), schottischer Dichter, veröffentlichte 1761–65 eigene Dichtungen, die er als aus dem Gälischen übersetzt und von dem gälischen Barden Ossian verfaßt ausgab. Diese fingierten Ossian-Gesänge hatten in ganz Europa großen Erfolg. Goethe lernte sie 1770/71 durch Herder kennen und begann, noch bevor er nach Wetzlar kam, sie auszugsweise zu übersetzen.
geiziger, rangiger Hund: rangig meint hier habgierig. In der zweiten Fassung schreibt Goethe „geiziger rangiger Filz", wobei Filz ursprünglich einen Bauern meint, der sich mit grober Wolle kleidet.

38 *Losung:* Bargeld-Erlös in der Kasse.
Wesen: Hauswesen, Haushalt.
des Propheten ewiges Ölkrüglein: Im Alten Testament, 1. Könige 17, 16, heißt es: „Und dem Ölkrug mangelte nichts nach dem Wort des Herrn, das er durch Elia geredet hatte."
Mich liebt! Und wie wert ich mir selbst werde, wie ich – dir darf ich's wohl sagen, du hast Sinn für so etwas – wie ich mich selbst anbete, seitdem sie mich liebt: Diese Sätze sind in der Erstausgabe, wohl durch Druckerversehen, ausgelassen, denn schon die „zweite echte Ausgabe" (1775) enthält sie.

39 *dem der Degen abgenommen wird:* Zeichen der Entehrung.
reichen kann: erreichen kann.
stellt es: stellt es her, heilt es.
Zauberkraft der alten Musik: In Altertum und Mittelalter hatte man die Vorstellung, Musik übe auf Menschen und Tiere magische Wirkung. Überliefert ist dies

in der Geschichte von David und Saul, 1. Samuel 16, 14–23, und in den griechischen Sagen von Orpheus, Arion und Amphion.

40 *Zauberlaterne:* Laterna magica, Mitte des 17. Jahrhunderts entwickelter Projektionsapparat für durchsichtige Lichtbilder.

Bononischer Stein: eine Art leuchtender Schwerspat, wie er in der Nähe von Bologna gefunden wird. Man nennt ihn auch Bologneser Stein. Der Stein hat phosphoreszierende Wirkung.

Surtout: Überrock.

Phantomen: Trugbilder, Einbildungen.

Subordination: Unterordnung, auch im Sinne von geregelter Zusammenarbeit.

41 *prostituiert:* bloßgestellt, blamiert.

Schattenriß: Goethe hat ein solches Profilbild von Charlotte Buff angefertigt.

In der zweiten Fassung des Romans findet sich nach dem Brief vom 24. Juli folgender Einschub:

„Am 26. Julius

Ja, liebe Lotte, ich will alles besorgen und bestellen; geben Sie nur mehr Aufträge, nur recht oft. Um eins bitte ich Sie: keinen Sand [feiner Sand, der zum Löschen der Tinte verwendet wurde] mehr auf die Zettelchen, die Sie mir schreiben. Heute führte ich es schnell nach der Lippe, und die Zähne knisterten mir."

42 In der zweiten Fassung steht nach „wegbleiben?" der Einschub:

„Oder sie gibt mir einen Auftrag, und ich finde schicklich, ihr selbst die Antwort zu bringen;"

Märchen vom Magnetenberg: Märchen aus „Tausendundeiner Nacht".

43 *Prätensionen:* Ansprüche.

mich resignieren: mich zurückziehen, verzichten.

Abfälle: Abstufungen.

44 In der zweiten Fassung erhielt der Brief vom 8. August folgenden Zusatz:

„Abends.

Mein Tagebuch, das ich seit einiger Zeit vernachlässiget, fiel mir heut wieder in die Hände, und ich bin erstaunt, wie ich so wissentlich in das alles, Schritt vor Schritt, hineingegangen bin! Wie ich über meinen Zustand immer so klar gesehen und doch gehandelt habe wie ein Kind, jetzt noch so klar sehe und es noch keinen Anschein zur Besserung hat."

45 *Terzerolen:* Taschenpistolen.

46 *dahlen:* scherzen, tändeln, albern.
Maus: Daumenmuskel.
limitieren: abgrenzen, einschränken.
modifizieren: abwandeln.

47 *Wer hebt den ersten Stein:* Johannes 8, 7 heißt es: „Wer unter euch ohne Sünde ist, der werfe den ersten Stein auf sie."
geht vorbei wie der Priester und dankt Gott wie der Pharisäer: Anspielung auf Lukas 10, 31 und Lukas 18, 11: „Es begab sich aber von ungefähr, daß ein Priester dieselbe Straße hinabzog; und da er ihn sah, ging er vorüber" und: „Der Pharisäer stand und betete bei sich selbst: Ich danke dir, Gott, daß ich nicht bin wie die andern Leute."

48 *Radotage:* Geschwätz, Faselei.

49 *eine Krankheit zum Tode:* Anspielung auf Johannes 11, 4: „Da Jesus das hörte, sprach er: Diese Krankheit ist nicht zum Tode."
Revolution: Umkehr.
ich erinnerte ihn an ein Mädchen: Goethe bezieht sich auf den Selbstmord der jungen Schreinerstochter Anna Elisabeth Stöber, der ihm aus demselben Band bekannt war, in dem sich auch die Prozeßakten der Kindsmörderin Margarethe Brandt befinden, die Goethe Anregungen für „Faust I" lieferten; Anna Elisabeth Stöber er-

tränkte sich am 29. Dezember 1769 in Frankfurt aus Liebeskummer.

51 *das Hauptstückchen von der Prinzessin:* Anspielung auf das Märchen „La chatte blanche" von Marie Cathérine Jumelle de Berneville, in dem eine gefangene Prinzessin von Händen Speisen erhält, die aus der Zimmerdecke wachsen.

Inzidenzpunkt: Nebenpunkt.

52 *überreden:* auf-, einreden.

Geniste: Gestrüpp, Gebüsch.

54 *employieren:* als Beamter betätigen.

55 *die Fabel vom Pferde:* Fabel vom Pferd, das beim Kampf mit dem Hirsch die Hilfe des Menschen in Anspruch nimmt und als Folge in dessen Knechtschaft gerät. Die Fabel findet sich bei Stesichoros, Horaz („Briefe" I 10) und Lafontaine („Fabeln" 4, 3).

Heut ist mein Geburtstag: Der 28. August war sowohl Goethes als auch Kestners Geburtstag.

eine der blaßroten Schleifen: Auch Goethe erhielt von Charlotte Buff die Schleife zum Geschenk, die sie auf dem Ball in Volpertshausen getragen hatte; vgl. Goethes Brief an Charlotte vom 8. Oktober 1772. Der Entwurf schreibt „fleischfarbene Schleifen".

der kleine Wetsteinische Homer: kleine Homer-Ausgabe des Amsterdamer Buchdruckers J. H. Wetstein, die 1707 erschien und neben dem griechischen auch den lateinischen Text enthielt. Als deutsche Ausgabe fand erst die Übertragung von Johann Heinrich Voß (1781–93) größere Verbreitung.

Ernestischen: ebenfalls zweisprachige Homer-Ausgabe, von J. A. Ernesti (1759–64). Die Ausgabe umfaßte fünf Bände und war reich kommentiert.

56 *das härne Gewand und der Stachelgürtel:* Einsiedler- und Büßerkleid; insbesondere der Stachelgürtel wurde zur Buße getragen.

57 *Am 10. Sept.:* Goethe verließ, wie aus Briefen an Char-

lotte Buff und an Kestner hervorgeht, nach einem Gespräch ähnlichen Inhalts am 11. September 1772 unerwartet Wetzlar.

sympathetischer Zug: geheimnisvolle Anziehungskraft.

Bosquet: Gruppe von Bäumen und Sträuchern in Parks.

58 *frappant:* überraschend.

62 *Der Gesandte:* Der zweite Teil des Romans beruht zu wesentlichen Teilen auf dem Schicksal Karl Wilhelm Jerusalems (1747–72), Legationssekretär in Wetzlar. Verschiedene Motive führten zum Selbstmord Jerusalems am 30. Oktober 1772, also nur kurz nach Goethes Weggang aus Wetzlar. Über die Umstände des Selbstmordes erhielt Goethe einen ausführlichen Bericht Kestners; vgl. das Nachwort, Seite 121 f. Jerusalems Vorgesetzter war der braunschweigische Gesandte von Hoefler.

63 *den Grafen C. . .:* Historisch handelt es sich wohl um den Jerusalem wohlgesonnenen Präsidenten Graf von Bassenheim.

der pünktlichste: auf den Punkt genau, im Sinne von pedantisch.

wie eine Base: wie eine alte Jungfer.

64 *Inversionen:* Veränderungen der gebräuchlichen Wortstellung im Satz, wie sie in den „Leiden des jungen Werthers" immer wieder vorkommen und insgesamt für die Sprache der Sturm-und-Drang-Dichter charakteristisch sind. In seinen „Fragmenten über die neue deutsche Literatur" empfahl Herder 1767 Inversionen als Stilmittel, die ebenso wie Elisionen (vgl. die zweite Anmerkung zu Seite 13) zu einer „Sprache der Leidenschaft" führen sollten.

Period: das grammatisch richtig gegliederte Satzgefüge.

Belletristen: Schöngeister.

Déraisonnement: unvernünftiges Gerede, Unsinn.

65 *bürgerlichen Verhältnisse:* Der Begriff bezeichnet hier die Organisation und Strukturierung der Gesellschaft des 18. Jahrhunderts, in der die Stellung des Einzelnen

fast ausschließlich von seiner Geburt und seinem Stand abhing.

66 *verpalisadiert:* verschanzt.

eh'rne Jahrhundert ... im eisernen: Jahrhundert bedeutet hier Zeitalter und bezieht sich auf die alte Vorstellung von vier oder fünf Weltzeitaltern. Bei Ovid gibt es beispielsweise vier Zeitalter: das goldene, silberne, eherne und eiserne. Die beiden letzten Epochen meinen hier die beiden letzten Viertel des Lebens.

67 *Raritätenkasten:* Guckkasten auf Jahrmärkten.

Zwischen „schaudere zurück" und „Ein einzig weiblich Geschöpf" schiebt die zweite Fassung den folgenden Text ein:

„Des Abends nehme ich mir vor, den Sonnenaufgang zu genießen, und komme nicht aus dem Bette; am Tage hoffe ich mich des Mondscheins zu erfreuen und bleibe in meiner Stube. Ich weiß nicht recht, warum ich aufstehe, warum ich schlafen gehe.

Der Sauerteig, der mein Leben in Bewegung setzte, fehlt; der Reiz, der mich in tiefen Nächten munter erhielt, ist hin, der mich des Morgens aus dem Schlafe weckte, ist weg."

68 In der zweiten Fassung ist zwischen die Briefe vom 20. Januar und 17. Februar der folgende Brief eingeschoben:

„Den 8. Februar

Wir haben seit acht Tagen das abscheulichste Wetter, und mir ist es wohltätig. Denn solang ich hier bin, ist mir noch kein schöner Tag am Himmel erschienen, den mir nicht jemand verdorben oder verleidet hätte. Wenn's nun recht regnet und stöbert und fröstelt und taut – ha! denk ich, kann's doch zu Hause nicht schlimmer werden, als es draußen ist, oder umgekehrt, und so ist's gut. Geht die Sonne des Morgens auf und verspricht einen feinen Tag, erwehr ich mir niemals auszurufen: Da haben sie doch wieder ein himmlisches Gut, worum sie einander bringen können! Es ist nichts, worum sie einander nicht bringen. Gesundheit, guter Name, Freudigkeit, Erholung! Und meist aus Albernheit, Unbegriff und Enge und, wenn man sie anhört, mit der besten Meinung. Manchmal möcht ich sie auf den Knien bitten, nicht so rasend in ihre eigenen Eingeweide zu wüten."

sanften Verweis: Auch Jerusalem erhielt einen solchen.

69 *Ich danke dir ...:* Dieser Teil des Briefes hat autobiographischen Charakter. Als Goethe von der Hochzeit Charlotte Buffs und Kestners erfuhr, schrieb er: „Ihr habt mich überrascht. Auf den Karfreitag wollt' ich heilig Grab machen und Lottens Silhouette begraben."

distinguiert mich: zeichnet mich aus.

70 *intrigiert:* interessiert.

Krönungszeiten Franz des Ersten: Franz I. (1708–65) wurde 1745 zum römisch-deutschen Kaiser gekrönt.

in qualitate: unter Berücksichtigung seines Amtes, seiner Stellung.

übel fourniert: schlecht ausgestattet.

71 *Kabriolett:* zweirädriger Einspänner.

wie Ulyß von dem trefflichen Schweinhirten bewirtet wird: Solche Szenen finden sich in Homers „Odyssee" im 13. und 15. Gesang. Ulyß ist die lateinische Form von Odysseus, die zu Goethes Zeit gebräuchlicher war als die griechische.

eine Prise über ihn haben: einen kleinen Vorteil ihm voraushaben.

73 *Ach ich hab hundertmal ein Messer ergriffen:* Diese Stelle hat autobiographischen Hintergrund. Goethe selbst spielte, besonders während seiner Wetzlarer Zeit, mit dem Gedanken des Freitodes. Er schreibt in „Dichtung und Wahrheit": „... von unbefriedigten Leidenschaften gepeinigt, von außen zu bedeutenden Handlungen keineswegs angeregt, in der einzigen Aussicht, uns in einem schleppenden, geistlosen bürgerlichen Leben hinhalten zu müssen, befreundete man sich in unmutigem Übermut

mit dem Gedanken, das Leben, wenn es einem nicht mehr anstehe, nach eigenem Belieben allenfalls verlassen zu können." In diesem Zusammenhang stellte Goethe auch Betrachtungen über verschiedene Todesarten an. Nachahmenswürdig schien ihm einzig die Tat Kaiser Othos, der sich einen scharfen Dolch mit eigener Hand in das Herz gestoßen hatte. Goethe besaß einen solchen Dolch, der jederzeit neben seinem Bett lag: „... und ehe ich das Licht auslöschte, versuchte ich, ob es mir wohl gelingen möchte, die scharfe Spitze ein paar Zoll tief in die Brust zu senken. Da dieses aber niemals gelingen wollte, so lachte ich mich zuletzt selber aus, warf alle hypochondrische Fratzen hinweg und beschloß zu leben." („Dichtung und Wahrheit", 13. Buch)

Dimission: Entlassung.

Permission: Erlaubnis.

in einem Säftchen: in einem süßen Saft, sanft.

74 *fünfundzwanzig Dukaten:* Auch Jerusalem wurde vom Braunschweiger Erbprinzen Geld angeboten, damit er bleibe.

Pilgrim: Pilger.

75 *Kram:* Kramladen.

In der zweiten Fassung findet sich nach „rund sei" der Zusatz:

„Der Mensch braucht nur wenige Erdschollen, um darauf zu genießen, weniger, um drunter zu ruhen."

76 In der zweiten Fassung ist zwischen „wahr und einfach" und „Was mir noch manchmal leid tut" folgender Text eingeschoben:

„Wunderliche Menschen sind um ihn herum, die ich gar nicht begreife. Sie scheinen keine Schelmen und haben doch auch nicht das Ansehen von ehrlichen Leuten. Manchmal kommen sie mir ehrlich vor, und ich kann ihnen doch nicht trauen."

in meiner Lage: am rechten Ort.

77 Die zweite Fassung schiebt zwischen die Briefe vom 11. und 18. Juni ein:

„Am 16. Junius.

Ja wohl bin ich nur ein Wandrer, ein Waller auf der Erde! Seid ihr denn mehr?"

78f. Die zweite Fassung schiebt zwischen die Briefe vom 3. und 6. September zwei Briefe ein:

„Am 4. Sept.

Ja, es ist so. Wie die Natur sich zum Herbste neigt, wird es Herbst in mir und um mich her. Meine Blätter werden gelb, und schon sind die Blätter der benachbarten Bäume abgefallen. Hab ich dir nicht einmal von einem Bauerburschen geschrieben, gleich da ich herkam? Jetzt erkundigte ich mich wieder nach ihm in Wahlheim; es hieß, er sei aus dem Dienste gejagt worden, und niemand wollte was weiter von ihm wissen. Gestern traf ich ihn von ohngefähr auf dem Wege nach einem andern Dorfe, ich redete ihn an, und er erzählte mir seine Geschichte, die mich doppelt und dreifach gerührt hat, wie du leicht begreifen wirst, wenn ich dir sie wiedererzähle. Doch wozu das alles, warum behalt ich nicht für mich, was mich ängstigt und kränkt? warum betrüb ich noch dich? warum geb ich dir immer Gelegenheit, mich zu bedauern und mich zu schelten? Sei's denn, auch das mag zu meinem Schicksal gehören!

Mit einer stillen Traurigkeit, in der ich ein wenig scheues Wesen zu bemerken schien, antwortete der Mensch mir erst auf meine Fragen; aber gar bald offner, als wenn er sich und mich auf einmal wiedererkennte, gestand er mir seine Fehler, klagte er mir sein Unglück. Könnt ich dir, mein Freund, jedes seiner Worte vor Gericht stellen! Er bekannte, ja er erzählte mit einer Art von Genuß und Glück der Wiedererinnerung, daß die Leidenschaft zu seiner Hausfrau sich in ihm tagtäglich vermehrt, daß er zuletzt nicht gewußt habe, was er tue, nicht, wie er sich ausdrückte, wo er mit dem Kopfe hingesollt? Er habe weder essen noch trinken noch schlafen können, es habe ihm an der Kehle gestockt, er habe getan, was er nicht tun sollen, was ihm aufgetragen worden, hab er vergessen, er sei als wie von einem bösen Geist verfolgt gewesen, bis er eines Tags, als er sie in einer obern Kammer gewußt, ihr nachgegangen, ja vielmehr ihr nachgezogen worden sei; da sie seinen Bitten kein Gehör gegeben, hab er sich ihrer mit Gewalt bemächtigen wollen, er wisse nicht, wie ihm geschehen sei, und nehme Gott zum Zeugen, daß seine Absichten gegen sie immer redlich gewesen und daß er nichts sehnlicher gewünscht, als daß sie ihn heiraten, daß sie mit ihm ihr Leben zubringen möchte. Da er eine Zeitlang geredet hatte, fing er an zu stocken, wie einer, der noch etwas zu sagen hat und sich es nicht herauszusagen getraut; endlich gestand er mir auch mit Schüchternheit, was sie ihm für kleine Vertraulichkeiten erlaubt und welche Nähe sie ihm vergönnet. Er brach zwei-, dreimal ab und wiederholte die lebhaftesten Protestationen [Beteuerungen], daß er das nicht sage, um sie schlecht zu machen, wie er sich ausdrückte, daß er sie liebe und schätze wie vorher, daß so etwas nicht über seinen Mund gekommen sei und daß er es mir nur sage, um mich zu überzeugen, daß er kein ganz verkehrter und unsinniger Mensch sei. – Und hier, mein Bester, fang ich mein altes Lied wieder an, das ich ewig anstimmen werde: könnt ich dir den Menschen vorstellen, wie er vor mir stand, wie er noch vor mir steht! Könnt ich dir alles recht sagen, damit du fühltest, wie ich an seinem Schicksale teilnehme, teilnehmen muß! Doch genug, da du auch mein Schicksal kennst, auch mich kennst, so weißt du nur zu wohl, was mich zu allen Unglücklichen, was mich besonders zu diesem Unglücklichen hinzieht.

Da ich das Blatt wieder durchlese, seh ich, daß ich das Ende der Geschichte zu erzählen vergessen habe, das sich aber leicht hinzudenken läßt. Sie erwehrte sich sein; ihr

Bruder kam dazu, der ihn schon lange gehaßt, der ihn schon lange aus dem Hause gewünscht hatte, weil er fürchtet, durch eine neue Heirat der Schwester werde seinen Kindern die Erbschaft entgehn, die ihnen jetzt, da sie kinderlos ist, schöne Hoffnungen gibt; dieser habe ihn gleich zum Hause hinausgestoßen und einen solchen Lärm von der Sache gemacht, daß die Frau, auch selbst wenn sie gewollt, ihn nicht wieder hätte aufnehmen können. Jetzt habe sie wieder einen andern Knecht genommen, auch über den, sage man, sei sie mit dem Bruder zerfallen, und man behaupte für gewiß, sie werde ihn heiraten, aber er sei fest entschlossen, das nicht zu erleben.

Was ich dir erzähle, ist nicht übertrieben, nichts verzärtelt, ja ich darf wohl sagen, schwach, schwach hab ich's erzählt und vergröbert hab ich's, indem ich's mit unsern hergebrachten sittlichen Worten vorgetragen habe.

Diese Liebe, diese Treue, diese Leidenschaft ist also keine dichterische Erfindung. Sie lebt, sie ist in ihrer größten Reinheit unter der Klasse von Menschen, die wir ungebildet, die wir roh nennen. Wir Gebildeten – zu nichts Verbildeten! Lies die Geschichte mit Andacht, ich bitte dich. Ich bin heute still, indem ich das hinschreibe; du siehst an meiner Hand, daß ich nicht so strudele und sudele wie sonst. Lies, mein Geliebter, und denke dabei, daß es auch die Geschichte deines Freundes ist. Ja, so ist mir's gegangen, so wird mir's gehn, und ich bin nicht halb so brav, nicht halb so entschlossen als der arme Unglückliche, mit dem ich mich zu vergleichen mich fast nicht getraue."

„Am 5. Sept.

Sie hatte ein Zettelchen an ihren Mann aufs Land geschrieben, wo er sich Geschäfte wegen aufhielt. Es fing an: ‚Bester, Liebster, komme, sobald du kannst, ich erwarte dich mit tausend Freuden.' Ein Freund, der hereinkam, brachte Nachricht, daß er wegen gewisser Umstände so bald noch nicht zurückkehren würde. Das Billet blieb liegen und fiel mir abends in die Hände. Ich las es und lächelte; sie fragte, worüber? ‚Was die Einbildungskraft für ein göttliches Geschenk ist', rief ich aus, ‚ich konnte mir einen Augenblick vorspiegeln, als wäre es an mich geschrieben.' Sie brach ab, es schien ihr zu mißfallen, und ich schwieg."

79 *blauen einfachen Frack . . . gelbe West und Hosen dazu:* Kleidung, die auch Jerusalem trug und die nach Erscheinen des „Werther" zur Modetracht, fast zum Bekenntnis der jungen Generation wurde.

In der zweiten Fassung ist zwischen die Briefe vom 6. und 15. September folgender Brief eingeschoben:

„Am 12. September

Sie war einige Tage verreist, Alberten abzuholen. Heute trat ich in ihre Stube, sie kam mir entgegen, und ich küßte ihre Hand mit tausend Freuden. Ein Kanarienvogel flog von dem Spiegel ihr auf die Schulter. ‚Einen neuen Freund', sagte sie und lockte ihn auf ihre Hand, ‚er ist meinen Kleinen zugedacht. Er tut gar zu lieb! Sehen Sie ihn! Wenn ich ihm Brot gebe, flattert er mit den Flügeln und pickt so artig. Er küßt mich auch, sehen Sie!'

Als sie dem Tierchen den Mund hinhielt, drückte es sich so lieblich in die süßen Lippen, als wenn es die Seligkeit hätte fühlen können, die es genoß.

‚Er soll Sie auch küssen', sagte sie und reichte den Vogel herüber. Das Schnäbelchen machte den Weg von ihrem Munde zu dem meinigen, und die pickende Berührung war wie ein Hauch, eine Ahnung liebevollen Genusses.

‚Sein Kuß', sagte ich, ‚ist nicht ganz ohne Begierde, er sucht Nahrung und kehrt unbefriedigt von der leeren Liebkosung zurück.'

‚Er ißt mir auch aus dem Munde', sagte sie. Sie reichte ihm einige Brosamen mit ihren Lippen, aus denen die

Freuden unschuldig teilnehmender Liebe in aller Wonne lächelten.

Ich kehrte das Gesicht weg. Sie sollte es nicht tun! sollte nicht meine Einbildungskraft mit diesen Bildern himmlischer Unschuld und Seligkeit reizen und mein Herz aus dem Schlafe, in den es manchmal die Gleichgültigkeit des Lebens wiegt, nicht wecken! – Und warum nicht? – Sie traut mir so! sie weiß, wie ich sie liebe!"

mich vertrauren: vor Trauer sterben.

80 *in die Untersuchung des Kanons meliert ... Reformation des Christentums:* Die von der Kirche offiziell anerkannten Bücher der Bibel gehören zum Kanon, sind kanonisiert. Im Gegensatz dazu heißen die nicht kanonisierten „Apokryphen". Die während des 18. Jahrhunderts einsetzende Bibelkritik untersuchte den Kanon unter historischen und kritisch-philologischen Gesichtspunkten. Die Vertreter der „moralisch-kritischen Reformation" betonten besonders den menschlichen Gehalt des Christentums und wiesen entgegen dem Dogma von der göttlichen Inspiration der Bibel den historisch-menschlichen Ursprung nach.

Lavaters Schwärmereien: Johann Kaspar Lavater (vgl. die zweite Anmerkung zu Seite 33), Schweizer Schriftsteller und Theologe, war Vertreter eines stark gefühlsbetonten Christentums.

Kennikot, Semler und Michaelis: Vertreter der aufklärerischen Bibelkritik. Benjamin Kennikott (1718–83), englischer Theologe und Hebraist, Kritiker des Alten Testaments. Johann Salomo Semler (1725–91), Professor in Halle, veröffentlichte ab 1771 die vierbändigen „Abhandlungen von freier Untersuchung des Kanons". Johann David Michaelis (1717–91), Göttinger Orientalist, übersetzte und kommentierte in 1769–86 erscheinenden Bänden das Alte Testament und hatte zu seiner Zeit großen Einfluß. Goethe stand der durch diese drei Theologen repräsentierten Bibelkritik zunächst kritisch gegenüber, wenn auch wohl nicht in der ausgeprägten Form, wie sie durch Werther Ausdruck findet.

Schulz: Schultheiß, Gemeindevorsteher.

Kammer: Rechnungsbehörde.

81 *Ossian:* Vgl. die dritte Anmerkung zu Seite 37. – Welche Wirkungen Ossian auch auf Goethe selbst gehabt hat, beschreibt er im Zusammenhang mit seinen Betrachtungen über den Freitod in „Dichtung und Wahrheit" (vgl. auch die erste Anmerkung zu Seite 73): „Damit aber ja allem diesem Trübsinn nicht ein vollkommen passendes Lokal abgehe, so hatte uns Ossian bis ans letzte Thule gelockt, wo wir denn, auf grauer, unendlicher Heide, unter vorstarrenden bemoosten Grabsteinen wandelnd, das durch einen schauerlichen Wind bewegte Gras um uns und einen schwer bewölkten Himmel über uns erblickten. Bei Mondenschein ward dann erst diese kaledonische Nacht zum Tage; untergegangene Helden, verblühte Mädchen umschwebten uns, bis wir zuletzt den Geist von Loda wirklich in seiner furchtbaren Gestalt zu erblicken glaubten." („Dichtung und Wahrheit", 13. Buch)

83 In der zweiten Fassung folgt dem Brief vom 27. Oktober:

„Am 27. Oktober abends

Ich habe so viel, und die Empfindung an ihr verschlingt alles; ich habe so viel, und ohne sie wird mir alles zu nichts."

84 *verlechter Eimer:* undichter, rissiger Eimer.

Bouteille: Flasche.

85 *Sagt nicht selbst der Sohn Gottes ... Wenn ich ihm nun nicht gegeben bin!:* Anspielung auf Johannes 6, 65: „Und er sprach: Darum habe ich euch gesagt: Niemand kann zu mir kommen, es sei ihm denn von meinem Vater gegeben." Vgl. auch Johannes 6, 37; 44 und Johannes 17, 24.

Und ward der Kelch ... zu bitter: Anspielung auf Mat-

thäus 26, 39: „Mein Vater, ist's möglich, so gehe dieser Kelch von mir."
Mein Gott! Mein Gott! warum hast du mich verlassen?: Wörtlich Matthäus 27, 46.

86 In der zweiten Fassung folgt auf den Brief vom 21. November:

„Am 22. November

Ich kann nicht beten: ‚Laß mir sie!', und doch kommt sie mir oft als die Meine vor. Ich kann nicht beten: ‚Gib mir sie!', denn sie ist eines andern. Ich witzle mich mit meinen Schmerzen herum; wenn ich mir's nachließe, es gäbe eine ganze Litanei von Antithesen."

86f. In der zweiten Fassung folgt auf den Brief vom 24. November:

„Am 26. November

Manchmal sag ich mir: Dein Schicksal ist einzig; preise die übrigen glücklich – so ist noch keiner gequält worden. Dann lese ich einen Dichter der Vorzeit, und es ist mir, als säh ich in mein eignes Herz. Ich habe so viel auszustehen! Ach, sind denn Menschen vor mir schon so elend gewesen?"

87 *schlechten Rocke:* schlichten Rock.

88 *Generalstaaten:* Regierung der Vereinigten Niederlande.

89f. *Und würde ein Mensch, ein Vater zürnen können:* Anspielung auf die Parabel vom verlorenen Sohn (Lukas 15, 11–24).

90 *die alte, himmelsüße Melodie:* Vgl. den Brief vom 17. Juli 1771.

91 *Am 8. Dez.:* Der Brief vom 8. Dezember ist in der zweiten Fassung dem Teil „Der Herausgeber an den Leser" als Brief vom 12. Dezember eingefügt.

92 *Am 17. Dez.:* Dieser Brief ist in der zweiten Fassung dem Teil „Der Herausgeber an den Leser" als Brief vom 14. Dezember eingefügt.

93 *Der Herausgeber an den Leser:* Das Eingreifen des

„Herausgebers“ zeigt an, daß Werthers fortschreitender Selbst- und Weltverlust nunmehr da angelangt ist, wo ihm zusammenhängende Schau und Schilderung nicht mehr gelingen.

Im folgenden Bericht des „Herausgebers“ weichen die erste und die zweite Fassung am weitesten voneinander ab. In der zweiten Fassung werden Passagen umgestellt und neu angeordnet, wird eine Episode (die des Mordes aus Eifersucht) neu eingeführt und der Bericht insgesamt verlängert. Ungeachtet der neuen Reihenfolge werden hier die 1787 neu hinzugekommenen Passagen wiedergegeben, zunächst aber der Text der zweiten Fassung, soweit er den Ersttext ersetzt, bis zur Aufforderung Alberts an Lotte, sie solle Werthers „allzuöfteren Besuche abschneiden“ (Seite 94):

„Der Herausgeber an den Leser

Wie sehr wünscht ich, daß uns von den letzten merkwürdigen Tagen unsers Freundes so viel eigenhändige Zeugnisse übrig geblieben wären, daß ich nicht nötig hätte, die Folge seiner hinterlaßnen Briefe durch Erzählung zu unterbrechen.

Ich habe mir angelegen sein lassen, genaue Nachrichten aus dem Munde derer zu sammeln, die von seiner Geschichte wohl unterrichtet sein konnten; sie ist einfach, und es kommen alle Erzählungen davon bis auf wenige Kleinigkeiten miteinander überein; nur über die Sinnesarten der handelnden Personen sind die Meinungen verschieden und die Urteile geteilt.

Was bleibt uns übrig, als dasjenige, was wir mit wiederholter Mühe erfahren können, gewissenhaft zu erzählen, die von dem Abscheidenden hinterlaßnen Briefe einzuschalten und das kleinste aufgefundene Blättchen nicht gering zu achten; zumal da es so schwer ist, die eigensten, wahren Triebfedern auch nur einer einzelnen Handlung zu entdecken, wenn sie unter Menschen vorgeht, die nicht gemeiner Art sind.

Unmut und Unlust hatten in Werthers Seele immer tiefer Wurzel geschlagen, sich fester untereinander verschlungen und sein ganzes Wesen nach und nach eingenommen. Die Harmonie seines Geistes war völlig zerstört, eine innerliche Hitze und Heftigkeit, die alle Kräfte seiner Natur durcheinanderarbeitete, brachte die widrigsten Wirkungen hervor und ließ ihm zuletzt nur eine Ermattung übrig, aus der er noch ängstlicher emporstrebte, als er mit allen Übeln bisher gekämpft hatte. Die Beängstigung seines Herzens zehrte die übrigen Kräfte seines Geistes, seine Lebhaftigkeit, seinen Scharfsinn auf, er ward ein trauriger Gesellschafter, immer unglücklicher, und immer ungerechter, je unglücklicher er ward. Wenigstens sagen dies Alberts Freunde; sie behaupten, daß Werther einen reinen, ruhigen Mann, der nun eines langgewünschten Glückes teilhaftig geworden, und sein Betragen, sich dieses Glück auch auf die Zukunft zu erhalten, nicht habe beurteilen können, er, der gleichsam mit jedem Tage sein ganzes Vermögen verzehrte, um an dem Abend zu leiden und zu darben. Albert, sagen sie, hatte sich in so kurzer Zeit nicht verändert, er war noch immer derselbige, den Werther so vom Anfang her kannte, so sehr schätzte und ehrte. Er liebte Lotten über alles, er war stolz auf sie und wünschte sie auch von jedermann als das herrlichste Geschöpf anerkannt zu wissen. War es ihm daher zu verdenken, wenn er auch jeden Schein des Verdachtes abzuwenden wünschte, wenn er in dem Augenblicke mit niemand diesen köstlichen Besitz auch auf die unschuldigste Weise zu teilen Lust hatte? Sie gestehen ein, daß Albert oft das Zimmer seiner Frau verlassen, wenn Werther bei ihr war, aber nicht aus Haß noch Abneigung gegen seinen Freund, sondern nur, weil er gefühlt habe, daß dieser von seiner Gegenwart gedrückt sei.

Lottens Vater war von einem Übel befallen worden, das ihn in der Stube hielt, er schickte ihr seinen Wagen, und sie fuhr hinaus. Es war ein schöner Wintertag, der erste Schnee war stark gefallen und deckte die ganze Gegend.

Werther ging ihr den andern Morgen nach, um, wenn Albert sie nicht abzuholen käme, sie hereinzubegleiten.

Das klare Wetter konnte wenig auf sein trübes Gemüt wirken, ein dumpfer Druck lag auf seiner Seele, die traurigen Bilder hatten sich bei ihm festgesetzt, und sein Gemüt kannte keine Bewegung als von einem schmerzlichen Gedanken zum andern.

Wie er mit sich in ewigem Unfrieden lebte, schien ihm auch der Zustand andrer nur bedenklicher und verworrner; er glaubte das schöne Verhältnis zwischen Albert und seiner Gattin gestört zu haben, er machte sich Vorwürfe darüber, in die sich ein heimlicher Unwille gegen den Gatten mischte.

Seine Gedanken fielen auch unterwegs auf diesen Gegenstand. ‚Ja, ja', sagte er zu sich selbst mit heimlichem Zähnknirschen, ‚das ist der vertraute, freundliche, zärtliche, an allem teilnehmende Umgang, die ruhige, dauernde Treue! Sattigkeit ist's und Gleichgültigkeit! Zieht ihn nicht jedes elende Geschäft mehr an als die teure, köstliche Frau? Weiß er sein Glück zu schätzen? Weiß er sie zu achten, wie sie es verdient? Er hat sie, nun gut, er hat sie – Ich weiß das, wie ich was anders auch weiß, ich glaube an den Gedanken gewöhnt zu sein, er wird mich noch rasend machen, er wird mich noch umbringen – Und hat denn die Freundschaft zu mir Stich gehalten? Sieht er nicht in meiner Anhänglichkeit an Lotten schon einen Eingriff in seine Rechte, in meiner Aufmerksamkeit für sie einen stillen Vorwurf? Ich weiß es wohl, ich fühl es, er sieht mich ungern, er wünscht meine Entfernung, meine Gegenwart ist ihm beschwerlich.'

Oft hielt er seinen raschen Schritt an, oft stand er stille und schien umkehren zu wollen; allein er richtete seinen Gang immer wieder vorwärts und war mit diesen Gedanken und Selbstgesprächen endlich gleichsam wider Willen bei dem Jagdhause angekommen.

Er trat in die Tür, fragte nach dem Alten und nach Lotten, er fand das Haus in einiger Bewegung. Der älteste Knabe sagte ihm, es sei drüben in Wahlheim ein Unglück geschehn, es sei ein Bauer erschlagen worden! – Es machte das weiter keinen Eindruck auf ihn. – Er trat in die Stube und fand Lotten beschäftigt, dem Alten zuzureden, der ungeachtet seiner Krankheit hinüber wollte, um an Ort und Stelle die Tat zu untersuchen. Der Täter war noch unbekannt, man hatte den Erschlagenen des Morgens vor der Haustür gefunden, man hatte Mutmaßungen: der Entleibte war Knecht einer Witwe, die vorher einen andern im Dienste gehabt, der mit Unfrieden aus dem Hause gekommen war.

Da Werther dieses hörte, fuhr er mit Heftigkeit auf. ‚Ist's möglich!' rief er aus, ‚ich muß hinüber, ich kann nicht einen Augenblick ruhn.' Er eilte nach Wahlheim zu, jede Erinnerung ward ihm lebendig, und er zweifelte nicht einen Augenblick, daß jener Mensch die Tat begangen, den er so manchmal gesprochen, der ihm so wert geworden war.

Da er durch die Linden mußte, um nach der Schenke zu kommen, wo sie den Körper hingelegt hatten, entsetzt' er sich vor dem sonst so geliebten Platze. Jene Schwelle, worauf die Nachbarskinder so oft gespielt hatten, war mit Blut besudelt. Liebe und Treue, die schönsten menschlichen Empfindungen, hatten sich in Gewalt und Mord verwandelt. Die starken Bäume standen ohne Laub und bereift, die schönen Hecken, die sich über die niedrige Kirchhofmauer wölbten, waren entblättert, und die Grabsteine sahen mit Schnee bedeckt durch die Lükken hervor.

Als er sich der Schenke näherte, vor welcher das ganze Dorf versammelt war, entstand auf einmal ein Geschrei. Man erblickte von fern einen Trupp bewaffneter Männer, und ein jeder rief, daß man den Täter herbeiführe. Werther sah hin und blieb nicht lange zweifelhaft. Ja! es war der Knecht, der jene Witwe so sehr liebte, den er vor einiger Zeit mit dem stillen Grimme, mit der heimlichen Verzweiflung umhergehend angetroffen hatte.

‚Was hast du begangen, Unglücklicher!' rief Werther aus, indem er auf den Gefangenen losging. Dieser sah ihn still an, schwieg und versetzte endlich ganz gelassen: ‚Keiner wird sie haben, sie wird keinen haben.' Man brachte den Gefangnen in die Schenke, und Werther eilte fort.

Durch die entsetzliche, gewaltige Berührung war alles, was in seinem Wesen lag, durcheinandergeschüttelt worden. Aus seiner Trauer, seinem Mißmut, seiner gleichgültigen Hingegebenheit wurde er auf einen Augenblick herausgerissen; unüberwindlich bemächtigte sich die Teilnehmung seiner, und es ergriff ihn eine unsägliche Begierde, den Menschen zu retten. Er fühlte ihn so unglücklich, er fand ihn als Verbrecher selbst so schuldlos, er setzte sich so tief in seine Lage, daß er gewiß glaubte, auch andere davon zu überzeugen. Schon wünschte er für ihn sprechen zu können, schon drängte sich der lebhafteste Vortrag nach seinen Lippen, er eilte nach dem Jagdhause und konnte sich unterwegs nicht enthalten, alles das, was er dem Amtmann vorstellen wollte, schon halblaut auszusprechen.

Als er in die Stube trat, fand er Alberten gegenwärtig, dies verstimmte ihn einen Augenblick; doch faßte er sich bald wieder und trug dem Amtmanne feurig seine Gesinnungen vor. Dieser schüttelte einigemal den Kopf, und obgleich Werther mit der größten Lebhaftigkeit, Leidenschaft und Wahrheit alles vorbrachte, was ein Mensch zur Entschuldigung eines Menschen sagen kann, so war doch, wie sich's leicht denken läßt, der Amtmann dadurch nicht gerührt. Er ließ vielmehr unsern Freund nicht ausreden, widersprach ihm eifrig und tadelte ihn, daß er einen Meuchelmörder in Schutz nehme; er zeigte ihm, daß auf diese Weise jedes Gesetz aufgehoben, alle Sicherheit des Staats zugrund gerichtet werde, auch setzte er hinzu, daß er in einer solchen Sache nichts tun könne, ohne sich die größte Verantwortung aufzuladen, es müsse alles in der Ordnung, in dem vorgeschriebenen Gang gehen.

Werther ergab sich noch nicht, sondern bat nur, der Amtmann möchte durch die Finger sehn, wenn man dem Menschen zur Flucht behülflich wäre. Auch damit wies ihn der Amtmann ab. Albert, der sich endlich ins Gespräch mischte, trat auch auf des Alten Seite: Werther wurde überstimmt, und mit einem entsetzlichen Leiden machte er sich auf den Weg, nachdem ihm der Amtmann einigemal gesagt hatte: ‚Nein, er ist nicht zu retten!'

Wie sehr ihm diese Worte aufgefallen sein müssen, sehn wir aus einem Zettelchen, das sich unter seinen Papieren fand und das gewiß an dem nämlichen Tage geschrieben worden:

‚Du bist nicht zu retten, Unglücklicher! ich sehe wohl, daß wir nicht zu retten sind.'

Was Albert zuletzt über die Sache des Gefangnen in Gegenwart des Amtmanns gesprochen, war Werthern höchst zuwider gewesen: er glaubte einige Empfindlichkeit gegen sich darin bemerkt zu haben, und wenn gleich bei mehrerem Nachdenken seinem Scharfsinne nicht entging, daß beide Männer recht haben möchten, so war es ihm doch, als ob er seinem innersten Dasein entsagen müßte, wenn er es gestehen, wenn er es zugeben sollte.

Ein Blättchen, das sich darauf bezieht, das vielleicht sein ganzes Verhältnis zu Albert ausdrückt, finden wir unter seinen Papieren.

‚Was hilft es, daß ich mir's sage und wieder sage, er ist brav und gut, aber es zerreißt mir mein inneres Eingeweide; ich kann nicht gerecht sein.'

Weil es ein gelinder Abend war und das Wetter anfing sich zum Tauen zu neigen, ging Lotte mit Alberten zu Fuße zurück. Unterwegs sah sie sich hier und da um, eben als wenn sie Werthers Begleitung vermißte. Albert fing von ihm an zu reden, er tadelte ihn, indem er ihm Gerechtigkeit widerfahren ließ. Er berührte seine unglückliche Leidenschaft und wünschte, daß es möglich sein möchte, ihn zu entfernen. ‚Ich wünsch es auch um unsertwillen', sagt' er, ‚und ich bitte dich', fuhr er fort, ‚siehe zu, seinem Betragen gegen dich eine andere Richtung zu geben, seine öftern Besuche zu vermindern. Die Leute werden aufmerksam, und ich weiß, daß man hier und da drüber gesprochen hat.' Lotte schwieg, und Albert schien ihr Schweigen empfunden zu haben, wenigstens seit der Zeit erwähnte er Werthers nicht mehr gegen sie, und wenn sie seiner erwähnte, ließ er das Gespräch fallen oder lenkte es woanders hin.

Der vergebliche Versuch, den Werther zur Rettung des Unglücklichen gemacht hatte, war das letzte Auflodern der Flamme eines verlöschenden Lichtes; er versank nur desto tiefer in Schmerz und Untätigkeit; besonders kam er fast außer sich, als er hörte, daß man ihn vielleicht gar zum Zeugen gegen den Menschen, der sich nun aufs Leugnen legte, auffordern könnte."

95 *Den Verdruß ... zu der schröcklichen Tat:* In der zweiten Fassung erhält diese Passage folgende Form:

„Alles, was ihm Unangenehmes jemals in seinem wirksamen Leben begegnet war, der Verdruß bei der Gesandtschaft, alles, was ihm sonst mißlungen war, was ihn je gekränkt hatte, ging in seiner Seele auf und nieder. Er fand sich durch alles dieses wie zur Untätigkeit berechtigt, er fand sich abgeschnitten von aller Aussicht, unfähig, irgendeine Handhabe zu ergreifen, mit denen man die Geschäfte des gemeinen Lebens anfaßt; und so rückte er endlich, ganz seiner wunderbaren Empfindung, Denkart und einer endlosen Leidenschaft hingegeben, in dem ewigen Einerlei eines traurigen Umgangs mit dem liebenswürdigen und geliebten Geschöpfe, dessen Ruhe er störte, in seine Kräfte stürmend, sie ohne Zweck und Aussicht abarbeitend immer einem traurigen Ende näher.

Von seiner Verworrenheit, Leidenschaft, von seinem rastlosen Treiben und Streben, von seiner Lebensmüde sind einige hinterlaßne Briefe die stärksten Zeugnisse, die wir hier einrücken wollen."

In der zweiten Fassung schaltet der „Herausgeber" zwischen den Brief vom 20. Dezember und die Fortsetzung des Berichtes die folgende Passage ein:

„Was in dieser Zeit in Lottens Seele vorging, wie ihre Gesinnungen gegen ihren Mann, gegen ihren unglücklichen Freund gewesen, getrauen wir uns kaum mit Worten auszudrücken, ob wir uns gleich davon nach der Kenntnis ihres Charakters wohl einen stillen Begriff machen können und eine schöne weibliche Seele sich in die ihrige denken und mit ihr empfinden kann.

So viel ist gewiß, sie war fest bei sich entschlossen, alles zu tun, um Werthern zu entfernen, und wenn sie zauderte, so war es eine herzliche, freundschaftliche Schonung, weil sie wußte, wie viel es ihm kosten, ja daß es ihm beinahe unmöglich sein würde. Doch ward sie in dieser Zeit mehr gedrängt, Ernst zu machen; es schwieg ihr Mann ganz über dies Verhältnis, wie sie auch immer darüber geschwiegen hatte, und um so mehr war ihr angelegen, ihm durch die Tat zu beweisen, wie ihre Gesinnungen der seinigen wert seien."

96 *geschickt:* fügsam, anständig.
Wachsstöckchen: gezogenes Wachslicht.

97 *politisch:* hier in der alten Bedeutung von schlau, diplomatisch.

99 *Kontis:* Abrechnungen.

100 *die Kleider einnähen:* Auf Reisen wurden die Kleider in Tücher eingenäht.

101 *Gesänge Ossians:* Die Selma-Gesänge („Songs of Selma") Ossians waren von Goethe schon vor der Abfassung des „Werther" für Friederike Brion in Straßburg übersetzt worden. Die Fassung für den Roman ist in der Übersetzung freier, rhythmischer und der Ausdrucksweise Werthers angeglichen. In den Gesängen geht es um Beklagung und Preisung der Toten, die durch die Gesänge fortleben sollen.

109 *er warf sich vor Lotten nieder:* Diese Szene hat Ähnlichkeit mit der letzten Begegnung zwischen Jerusalem und der Frau des Sekretärs Herd, über die Goethe durch Kestner Bericht hatte: „Und sie hielt sich verbunden, ihm, dem Manne, zu erzählen, was in seiner Abwesenheit vorgegangen sei. Jerusalem habe sich vor ihr auf die Knie geworfen und ihr eine förmliche Liebeserklärung tun wollen. Sie sei natürlicherweise darüber aufgebracht worden und hätte ihm viele Vorwürfe gemacht etc. etc. Sie verlange nun, daß ihr Mann ihm, dem Jerusalem, das Haus verbieten solle, denn sie könne und wolle nicht weiter von ihm hören noch sehen."

110 *Ich hatte eine Freundin:* Diese Freundin ist im Brief vom 17. Mai 1771 erwähnt.

111 *ängstliche Lade:* enge Lade, der einengende Sarg.

112 *geh zu meinem Vater:* Anklang an Johannes 14, 28.

„Wollten Sie mir wohl zu einer vorhabenden Reise Ihre Pistolen leihen? . . .": Diese Stelle entspricht stark dem Wortlaut des Billets Jerusalems an Kestner: „Dürfte ich Ew. Wohlgeb. wohl zu einer vorhabenden Reise um Ihre Pistolen gehorsamst ersuchen?" – Daß Werther Albert hier siezt, kann zum einen auf die historische Vorlage zurückzuführen sein, zum anderen aber auch darauf, daß es sich um ein offenes, vom Bedienten überbrachtes Billet handelt. Die Bitte um die Pistolen selbst ist durchaus nicht ungewöhnlich, da Reisen im 18. Jahrhundert meist mit Gefahren verbunden waren. Zudem hatte sich Wer-

ther die Pistolen vorher schon einmal ausgeliehen (vgl. den Brief vom 12. August 1771).

113 *Werthers Knabe:* Werthers junger Bediensteter.

116 *Schattenbild:* der Scherenschnitt, der in den Briefen vom 24. Juli 1771 und 20. Februar 1772 erwähnt ist.

meine Leiche zu schützen: Während der Selbstmord im griechischen Altertum nicht unbedingt als verwerflich galt, die Stoa ihn sogar als Bewährung persönlicher Freiheit rühmte, lehnte das Christentum den Freitod als sündhaften Eingriff in die göttliche Schöpfung ab und verwehrte dem Selbstmörder ein christliches Begräbnis. Nicht selten wurde auch das Begräbnis auf dem Friedhof einer Gemeinde untersagt. Auch im Fall Jerusalems konnte nur durch das Eingreifen des Grafen von Spaur erreicht werden, daß der zuständige Pastor Pilger die Zustimmung zu einem Begräbnis in einer Ecke des Friedhofs gab.

daß Priester und Levite ... eine Träne weinte: Anspielung auf Lukas 10,31–33.

Ich schaudere nicht, den kalten, schröcklichen Kelch zu fassen: Johannes 18,11 heißt es: „Soll ich den Kelch nicht trinken, den mir mein Vater gegeben hat?"

116f. *aber ach, das ward nur wenig Edlen gegeben ... Freunden anzufachen:* Anspielung auf die Passion Christi.

117 *Blick:* Blitz.

118 *konvulsivisch:* krampfhaft zuckend.

„Emilia Galotti" lag auf dem Pulte aufgeschlagen: Auch Jerusalem hatte Lessings „Emilia Galotti" auf seinem Pult. – Emilia ist in zweifacher Hinsicht ein Werther-Vorbild: Sie richtet den zerstörerischen Akt, der eigentlich der sie bedrohenden Umwelt gelten müßte, gegen sich selbst; sie entzieht sich durch ihn zugleich einer sie ängstigenden Sinnlichkeit, welche sie als Verführbarkeit erfährt.

tischten: beschwichtigten, dämpften. Die zweite Fassung schreibt „tuschten"; die Form in der Erstfassung ist vielleicht ein Druckfehler.

Handwerker trugen ihn. Kein Geistlicher hat ihn begleitet: Die knappe protokollarische Notiz richtet sich nach Kestners Bericht über das Begräbnis Jerusalems: „Barbiergesellen haben ihn getragen; das Kreuz ward vorausgetragen; kein Geistlicher hat ihn begleitet."

BIBLIOGRAPHISCHE HINWEISE

Bibliographien zur Goetheliteratur

Karl Goedeke: Grundriß zur Geschichte der deutschen Dichtung aus den Quellen. 3. Auflage. Band 4, Abteilung 2–4: Goethe-Literatur, bearbeitet von Karl Kipka. Dresden 1910–13. – Ergänzung zur 3. Auflage: Band 4, Abteilung 5: Goethe-Bibliographie 1912–1950, bearbeitet von Carl Diesch und Paul Schlager, herausgegeben von Herbert Jacob. Berlin 1960 [Umfassende internationale Bibliographie]

Hans Pyritz: Goethe-Bibliographie. Unter redaktioneller Mitarbeit von Paul Raabe. Fortgeführt von Heinz Nicolai und Gerhard Burkhardt unter redaktioneller Mitarbeit von Klaus Schröter. Band 1–2. Heidelberg 1965–68 [Umfangreiche wissenschaftliche Auswahl-Bibliographie der Goethe-Literatur von den Anfängen bis 1954 (Band 1) und 1955–64 nebst Register (Band 2)]

Goethe-Jahrbuch. Band 1–34. Frankfurt/Main 1880–1913 [Periodische Bibliographie, außer in den Bänden 19 und 30]

Goethe. Neue Folge des Jahrbuchs der Goethe-Gesellschaft. Band 10–33. Weimar 1947–71 [Periodische Goethe-Bibliographie ab Band 14/15 (1951)]

Goethe-Jahrbuch. Band 89–94 der Gesamtfolge. Weimar 1972–77 [Periodische Goethe-Bibliographie in jedem Band]

Waltraud Hagen (Bearbeiterin): Die Drucke von Goethes Werken. Herausgegeben von der Deutschen Akademie der Wissenschaften zu Berlin. Berlin 1971 [Verzeichnis und Nachweis von Goethes Werken, Aufsätzen, Beiträgen und Briefen in zeitgenössischen Drucken]

Wichtige Werkausgaben

Werke. Vollständige Ausgabe letzter Hand. Unter des durchlauchtigsten deutschen Bundes schützenden Privilegien. Band 1–60 und Registerband. Stuttgart und Tübingen: Cotta 1827–42 [Band 41–60 erschien posthum; neben der Oktavausgabe erschien eine Parallelausgabe im Sedezformat („Taschenausgabe")]

Werke. Herausgegeben im Auftrage der Großherzogin Sophie von Sachsen. Abteilung I–IV. Band 1–133 (in 143 Bänden). Weimar: Böhlau 1887–1919 [Weimarer oder Sophien-Ausgabe. Historisch-kritische Gesamtausgabe]

Werke. Hamburger Ausgabe in 14 Bänden. Textkritisch durchgesehen und mit Anmerkungen versehen von Erich Trunz. Band 1–14 und Registerband. Hamburg: Wegner 1948–64 [Durchgehend kommentierte Ausgabe]

Gedenkausgabe der Werke, Briefe und Gespräche. Herausgegeben von Ernst Beutler. Band 1–24 und 3 Ergänzungsbände. Zürich und Stuttgart: Artemis 1948–71 [Vollständiger als die Hamburger Ausgabe, aber nur teilweise kommentiert. – Auch erschienen als Taschenbuchausgabe in 45 Bänden, herausgegeben von Peter Boerner. München: dtv 1961–63; in 18 Bänden: München: dtv 1977]

Gesamtausgabe der Werke und Schriften. Abteilung I–II. Band 1–22 und Ergänzungsband. Stuttgart: Cotta 1949–63 [Umfaßt auch Briefe und Tagebücher, ohne Kommentar]

Werke. Berliner Ausgabe. Abteilung I–II. Bisher erschienen: Band 1–21. Berlin und Weimar: Aufbau-Verlag 1965–77

Werke. Herausgegeben von der Deutschen Akademie der Wissenschaften zu Berlin. Berlin: Akademie-Verlag 1952 ff. [Neue historisch-kritische Ausgabe, noch nicht abgeschlossen]

Teilsammlungen, Briefe, Gespräche, Dokumente

Der junge Goethe. Neue Ausgabe in 6 Bänden, besorgt von Max Morris. Leipzig 1909–12. Neu bearbeitete Ausgabe in 5 Bänden. Herausgegeben von Hanna Fischer-Lamberg. Berlin 1963 ff. [Umfaßt poetische und biographische Zeugnisse bis 1775, kommentiert]

Briefe. Hamburger Ausgabe in vier Bänden. Textkritisch durchgesehen und mit Anmerkungen versehen von Karl Robert Mandelkow. Hamburg 1962–67

Goethe in vertraulichen Briefen seiner Zeitgenossen. Auch eine Lebensgeschichte. Zusammengestellt von Wilhelm Bode. Band 1–3. Berlin 1917–23

Goethes Gespräche. Herausgegeben von Woldemar Freiherrn von Biedermann. Band 1–10. Leipzig 1889–96. – 2. Auflage unter dem Titel: Goethes Gespräche. Gesamtausgabe. Neu herausgegeben von Flodoard Freiherrn von Biedermann unter Mitwirkung von M. Morris, H. G. Gräf, L. L. Mackall. Band 1–5. Leipzig 1909–11. – Neuausgabe unter dem Titel: Goethes Gespräche in vier Bänden. Eine Sammlung zeitgenössischer Berichte aus seinem Umgang. Auf Grund der Ausgabe und des Nachlasses von Flodoard Freiherrn von Biedermann ergänzt und herausgegeben von Wolfgang Herwig. Band 1–4. Zürich 1965 ff.

Johann Peter Eckermann: Gespräche mit Goethe in den letzten Jahren seines Lebens. Kommentierte Ausgabe. Herausgegeben von Eduard Castle. Band 1/2 und 1 Band Anmerkungen und Register. Berlin 1916

Helmut Holtzhauer: Goethe-Museum. Werk, Leben und Zeit Goethes in Dokumenten. Berlin 1969

Karl Robert Mandelkow: Goethe im Urteil seiner Kritiker. Dokumente zur Wirkungsgeschichte in Deutschland. Teil 1: 1773–1832. München 1975 [Auf drei Bände angelegte Dokumentation zur Wirkungsgeschichte]

Darstellungen zur Epoche und zu Goethes Leben, Werk und Wirkung

Walter H. Bruford: Kultur und Gesellschaft im klassischen Weimar 1775–1806. Göttingen 1966

Walter H. Bruford: Deutsche Kultur der Goethezeit. Konstanz 1965

Wilhelm Bode: Goethes Leben. Band 1–9. Band 8 und 9 fortgeführt von Valerian Tornius. Berlin 1920–27 [Umfaßt den Zeitraum bis 1798]

Peter Boerner: Johann Wolfgang von Goethe in Selbstzeugnissen und Bilddokumenten. Bibliographie von Hartmut Riege. Reinbek 1964 (rowohlts monographien. 100)

Richard Friedenthal: Goethe. Sein Leben und seine Zeit. München 1963. Neuausgabe in 2 Bänden. München 1968

Heinrich Gloël: Goethes Wetzlarer Zeit. Berlin 1911

Georg Lukács: Goethe und seine Zeit. Bern 1947. Neuausgabe Berlin 1950

Günther Müller: Kleine Goethebiographie. Bonn 1947. 3. Auflage 1955

Karl Viëtor: Goethe. Dichtung, Wissenschaft, Weltbild. Bern 1949

Heinz Kindermann: Das Goethebild des 20. Jahrhunderts. 2., verbesserte und ergänzte Auflage mit Auswahl-Bibliographie der Goethe-Literatur seit 1952. Darmstadt 1966

Hans Mayer (Herausgeber): Goethe im XX. Jahrhundert. Spiegelungen und Deutungen. Hamburg 1967

Literaturmagazin 2. Von Goethe lernen? Fragen der Klassikrezeption. Herausgegeben von Hans Christoph Buch. Reinbek 1974 (das neue buch. 49)

„Werther"-Ausgaben

Erste Ausgaben

Die Leiden des jungen Werthers. Erster/Zweyter Theil. Leipzig, in der Weygandschen Buchhandlung. 1774

Die Leiden des jungen Werthers. Erster/Zweyter Theil. Zweyte ächte Auflage. Leipzig, in der Weygandschen Buchhandlung. 1775 [Wohl nicht von Goethe selbst revidiert, aber von der Druckerei offenbar nochmals mit der Originalhandschrift verglichen]

Die Leiden des jungen Werther. Von Goethe. Leipzig, bey Georg Joachim Göschen. 1787

Die Leiden des jungen Werther. Neue Ausgabe, von dem Dichter selbst eingeleitet. Leipzig, Weygandsche Buchhandlung. 1825

Neuere Ausgaben

Die Leiden des jungen Werthers. Faksimile-Druck der ersten Ausgabe von 1774 nach dem Handexemplar der Herzogin Anna Amalia. Zum 150. Gedenkjahre von Goethes Wetzlarer Zeit mit den Porträts der Urbilder des „Werther" nach Briefen, Tagebüchern, Gemälden und Scherenschnitten des 18. Jahrhunderts herausgegeben von Gerhard von Branca. Weimar 1922

Die Leiden des jungen Werthers. Mit einem Nachwort von Ernst Beutler. Stuttgart 1965 (Reclams Universal-Bibliothek. 67/67a)

Die Leiden des jungen Werther. Mit einem Essay von Georg Lukács: „Die Leiden des jungen Werther". Nachwort von Jörn Göres: Zweihundert Jahre „Werther". Mit zeitgenössischen Illustrationen. Frankfurt/Main 1973 (insel-taschenbuch. 25)

Die Leiden des jungen Werthers. Leipzig 1774. Mit einer Einleitung von Walther Migge: Goethes „Werther". Entstehung und Wirkung. Frankfurt/Main 1978

Die Leiden des jungen Werthers. Faksimile der Ausgabe Leipzig 1774. Dabei: F. Nicolai: „Die Freuden des jungen Werthers" und Kestners Bericht über Jerusalems Tod. Dortmund 1978 (Die bibliophilen Taschenbücher)

Die Leiden des jungen Werther. Herausgegeben und kommentiert von Erich Trunz. München 1978 (dtv-Taschenbücher. 2048)

Literatur zu „Werther"

Wörterbuch zu Goethes Werther, begründet von Erna Merker in Zusammenarbeit mit J. Gräfe und F. Merbach, fortgeführt und vollendet von I. Engel, J. Graefe, E. Linke, J. Mattausch, F. Merbach. Berlin 1966

Goethes „Werther" als Modell für kritisches Lesen. Materialien zur Rezeptionsgeschichte. Zusammengestellt und eingeleitet von Karl Hotz. Stuttgart 1974

Kurt Rothmann (Herausgeber): Johann Wolfgang Goethe. Die Leiden des jungen Werthers. Erläuterungen und Dokumente. Stuttgart 1971 (Reclams Universal-Bibliothek. 8113/13a)

Johann Wilhelm Appell: Werther und seine Zeit. Zur Goethe-Literatur. Leipzig 1855. 4. Auflage. Oldenburg 1896

Richard Brinkmann: Goethes „Werther" und Gottfried Arnolds „Kirchen- und Ketzerhistorie". In: Versuche zu Goethe. Festschrift für Erich Heller. Herausgegeben von V. Dürr und G. von Molnár. Heidelberg 1976. S. 167–189

Heinrich Düntzer: Goethe's „Lotte" und „Die Leiden des jungen Werther's". Nebst einer Übersicht der Werther-Literatur. In: Heinrich Düntzer: Zu Goethe's Jubelfeier. Studien zu Goethe's Werken. Elberfeld 1849. S. 89–257

Marino Freschi: Il „Werther" e le crisi dello „Sturm und Drang". Rom 1973 (Studi di filologia tedesca. 8)

Johanna Graefe: Die Religion in den „Leiden des jungen Werther". Eine Untersuchung auf Grund des Wortbestandes. In: Goethe. 20 (1958). S. 72–98

Ilse Graham: Goethes eigener Werther. Eines Künstlers Wahrheit über seine Dichtung. In: Jahrbuch der deutschen Schillergesellschaft 18 (1975). S. 268–303

Jost Hermand: Werthers Harzreise. In: Jost Hermand: Von Mainz nach Weimar (1793–1919). Studien zur deutschen Literatur. Stuttgart 1969. S. 129–151

Arnold Hirsch: Die Leiden des jungen Werthers. Ein bürgerliches Schicksal im absolutistischen Staat. In: Études Germaniques 13 (1958). S. 229–250

Insel-Almanach 1973. Die Leiden des jungen Werthers. Goethes „Werther" als Schule der Leidenschaften. Mit Beiträgen von Jörn Göres u. a. und 31 Illustrationen zum „Werther" sowie einer Zeittafel und Bibliographie. Frankfurt/Main 1972

Georg Jäger: Die Wertherwirkung. Ein rezeptionsästhetischer Modellfall. In: Historizität in Sprach- und Literaturwissenschaft. München 1974. S. 389–409

Wolfgang Kayser: Die Entstehung von Goethes „Werther" (1941). In: Wolfgang Kayser: Kunst und Spiel. Fünf Goethe-Studien. Göttingen 1961. S. 5–29 (Kleine Vandenhoeck-Reihe. 128/129)

Gerhard Kluge: Die Leiden des jungen Werthers in der Residenz. Vorschlag zur Interpretation einiger Werther-Briefe. In: Euphorion 65 (1971). S. 115–131

Martin Lauterbach: Das Verhältnis der zweiten zur ersten Ausgabe von Werthers Leiden. Straßburg 1910 (Quellen und Forschungen zur Sprach- und Culturgeschichte der germanischen Völker. 110)

Thomas Mann: Goethe's „Werther". In: Thomas Mann: Gesammelte Werke in 12 Bänden. Band 9: Reden und Aufsätze 1. Frankfurt/Main 1960. S. 640–655

Reinhart Meyer-Kalkus: Werthers Krankheit zum Tode. Pathologie und Familie in der Empfindsamkeit. In: F. A.

Kittler und H. Turk (Herausgeber): Urszenen. Frankfurt/Main 1977. S. 76–138

Peter Müller: Zeitkritik und Utopie in Goethes „Werther". Berlin 1969 (Germanische Studien) (Zuerst als philosophische Dissertation. Berlin/DDR 1965)

Klaus Oettinger: „Eine Krankheit zum Tode". Zum Skandal um Werthers Selbstmord. In: Der Deutschunterricht 28 (1976). Heft 2. S. 55–72

Hans-Heinrich Reuter: Der gekreuzigte Prometheus. Goethes Roman „Die Leiden des jungen Werthers". In: Goethe-Jahrbuch 89 (1972). S. 86–115

Klaus R. Scherpe: Werther und Wertherwirkung. Zum Syndrom bürgerlicher Gesellschaftsordnung im 18. Jahrhundert. Anhang: Vier Wertherschriften aus dem Jahre 1775 in Faksimile. Bad Homburg vor der Höhe, Berlin und Zürich 1970. – Dazu: Gerhard Kaiser: Zum Syndrom modischer Germanistik. In: Gerhard Kaiser: Antithesen. Frankfurt/Main 1973. S. 185–196 (Gegenwart der Dichtung. 10). Peter Müller: Angriff auf die humanistische Tradition. In: Weimarer Beiträge 19 (1973). Nr. 1: S. 109–127. Nr. 3: S. 92–109

Herbert Schöffler: Die Leiden des jungen Werther. Ihr geistesgeschichtlicher Hintergrund. In: Herbert Schöffler: Deutscher Geist im 18. Jahrhundert. Essays zur Geistes- und Religionsgeschichte. Herausgegeben von G. v. Selle. Göttingen 1956. S. 155–181

Lothar G. Seeger: Goethes „Werther" und der Pietismus. In: Susquehanna University Studies 8 (1968). S. 30–49

Wolfgang Staroste: Werthers Krankheit zum Tode. Zum Aufbau des epischen Vorgangs in Goethes „Werther". In: Wolfgang Staroste: Raum und Realität in dichterischer Gestaltung. Studien zu Goethe und Kafka. Heidelberg 1971. S. 73–88 (Poesie und Wissenschaft. 17)

Arndt und Inge Stephan: Werther und Werther-Rezeption. Ein Unterrichtsmodell zur Aufarbeitung bürgerlichen

Selbstverständnisses. In: Projekt Deutschunterricht 9. Stuttgart 1975. S. 146–176

Dieter Welz: Der Weimarer Werther. Studien zur Sinnstruktur der zweiten Fassung des Werther-Romans. Bonn 1973 (Abhandlungen zur Kunst-, Musik- und Literaturwissenschaft. 135)

Biographien

Walter Henry Nelson
Die Hohenzollern
Die Biographie eines königlichen Hauses.
(11928)

Emil Ludwig
Bismarck
Eine Biographie
(11923)

Daria Olivier
Elisabeth von Russland
Eine Biographie
(11930)

Michael de Ferdinandy
Karl V.
Biographie. Mit 16 Ab bildungen
(11922)

Walter und Paula Rehberg
Chopin
Eine Biographie
(11927)

Ian Grey
Katharina die Große
Eine Biographie
(11926)

Theodor Heuss
Deutsche Gestalten
(11130)

Lutz Koch
Rommel
Der Wüstenfuchs. Eine Biographie.
(11925)

Erich Schenk
Mozart
Sein Leben - Seine Welt. Biographie. Mit zahlreichen Abbildungen, Literaturverzeichnis, Zeit- und Stammtafel.
Sachbuch (11921)

Paula Rehberg
List
Eine Biographie
Goldmann Schott
(33005)

Goldmann Verlag

Michael Freund
Deutsche Geschichte

»Die deutsche Geschichte ist immerdar überschattet von Teilungen und Spaltungen.«

Diese Aussage zieht sich durch die sechsbändige „Deutsche Geschichte" von Michael Freund. Sie schließt vor allem eine pseudoobjektive Betrachtungsweise der Geschichte oder das bloße Aneinanderreihen von Fakten aus.

Freund stellt deutsche Geschichte in dem Sinne durchaus subjektiv dar, daß jede ihrer einzelnen Epochen unter dem Blickpunkt der Gegenwart gesehen, in ihren Nachwirkungen auf die Gegenwart beurteilt wird. Geschichte wird zur Problemgeschichte.

Die Kernfrage lautet: „Was ist des Deutschen Vaterland?" Diese Frage drängt sich bereits für die „Geburtsstunde" des deutschen Volkes auf. Konnten die verschiedenen germanischen Stämme, aus denen das deutsche Volk entstand, je ganz in eines verschmelzen? Freund sagt, daß der Prozeß der Entstehung des deutschen Volkes bis heute noch nicht abgeschlossen ist. Die frevelnde Frage sei nie ganz verstummt, ob es dieses deutsche Volk überhaupt gebe.

Professor Dr. Michael Freund (1902–1972) lehrte lange Zeit an der Universität Kiel. Er war Mitherausgeber der Zeitschrift „Die Gegenwart" und ständiger Mitarbeiter der FAZ. Er ist darüber hinaus durch eine Reihe weiterer Buchveröffentlichungen zu historischen Themen bekanntgeworden.

Bd. 1: **Von den Anfängen bis 1492.** (11157)

Bd. 2: **1492–1815.** (11158)

Bd. 3: **1815–1871.** (11159)

Bd. 4: **1871–1918.** (11160)

Bd. 5: **1918–1939** (11161)

Bd. 6: **1939 bis zur Gegenwart.** (11162)